AUTOUR D'UN LIVRE

DOM GUÉRANGER

Abbé de Solesmes

ET

MONSEIGNEUR BOUVIER

Évêque du Mans

AMBROISE LEDRU

AUTOUR D'UN LIVRE

DOM GUÉRANGER

Abbé de Solesmes

ET

MONSEIGNEUR BOUVIER

Évêque du Mans

LE MANS
IMPRIMERIE BENDERITTER
11-15, Rue Saint-Jacques, 11-15

1926

AVANT-PROPOS

Cet opuscule servira de complément à mon volume Dom Guéranger, abbé de Solesmes, et Mgr Bouvier, évêque du Mans, *publié en 1910-1911, volume qui m'a causé quelques ennuis et créé de tenaces inimitiés* : Habent sua fata libelli. *On y verra à quel diapason peut s'élever la passion contre un auteur qui écrit avec indépendance sans autre souci que la recherche de la vérité. Je confesse n'éprouver aucun remords de mon acte. De plus, j'avoue que je reste sans fiel contre ceux qui m'ont combattu à ce sujet* per fas et nefas. *Je crois même, avec Mgr Duchesne, le P. Lecanuet et autres, que j'ai rendu service à la cause de l'histoire en ne tenant aucun compte des préjugés vulgaires si répandus chez ceux qui lisent, non pour se former une opinion, mais pour consolider leurs idées préconçues.*

CHAPITRE PREMIER

La vie de dom Guéranger, abbé de Solesmes, par dom Delatte. — Suppression de documents. — Ma réponse dans la Province du Maine. — Lettres de M. Pécoul. — Je suis appelé a l'évêché du Mans. — Menace de l'Index. — Le P. Eschbach, supérieur du séminaire français a Rome. — Demande de l'Imprimatur a l'évêché de Laval. — Correspondance avec Mgr Grellier. — Mon volume parait sans l'Imprimatur. — Remercîments de Mgr de Bonfils pour avoir défendu Mgr Bouvier.

Presque au lendemain de sa mort, Mgr Freppel avait trouvé un biographe, pour parler plus justement, un pâle panégyriste, dans la personne de Mgr Ricard. Le R. P. dom Guéranger, fondateur de l'abbaye de Solesmes, l'ami de l'évêque d'Angers, mort comme lui cousu de dettes, avait bien été l'objet d'humbles biographies, mais le grand ouvrage, la vie monumentale qui devait mettre son nom en haut relief en face de la catholicité, restait à écrire. Dans leur amour filial, les moines de Saint-Pierre et les moniales de Sainte-Cécile de Solesmes rêvaient pour lui d'un trône, mais d'un trône dressé par l'Eglise : la béatification puis la canonisation. Après la mort de leur fondateur en 1875, l'argent avait afflué dans les deux abbayes. On y mettait à contribution les nouvelles recrues riches pour faire face aux frais nécessités par l'œuvre capitale que l'on méditait.

— Dès les dernières années de la vie de dom Guéranger, m'écrivait M. A. Houtin (1), de Paris, le 10 décembre 1909, les Bénédictines préparèrent son hagiographie ; depuis sa mort, elles n'ont cessé de compiler tout ce qui se rapportait à lui... Quand les novices (de Saint-Pierre) se préparaient à émettre leur profession, et, auparavant, à disposer de leurs biens, dom Logerot, le maître des novices, attirait leur attention, entre autres bonnes œuvres, sur l'utilité de donner quelque argent pour les recherches à propos de cette vie ou pour les frais de publication. Dom Fabre donna à cette occasion *cinquante mille francs*...

Le travail capital était la documentation. Comme il s'agissait de composer un panégyrique d'aspect historique, il fallait mettre en œuvre ce qui pouvait servir la mémoire du grand abbé, négliger les papiers compromettants, et surtout ne pas laisser traîner dans des archives étrangères des documents qui pourraient plus tard servir à déduire la légende de l'éminente vertu du Révérendissime.

Un des points de la future vie paraissait particulièrement scabreux à tous ceux qui connaissaient l'histoire de l'abbaye : les rapports de dom Guéranger avec Mgr Bouvier. Dom Couturier, le pieux successeur du premier abbé, savait qu'à l'évêché du Mans on conservait un dossier considérable sur Solesmes. Il employa toute sa patience, toute sa diplomatie, pour en obtenir ou la livraison ou la destruction. A la suite de longues et rebutantes démarches, il obtint ce qu'il désirait. Un évêque, auquel incombait le devoir de couvrir la mémoire de l'un de ses plus illustres prédécesseurs, eut la faiblesse de céder. Il put se retrancher, il est vrai, derrière la promesse que lui firent les moines d'enterrer à tout jamais l'histoire des dissensions d'antan. M. le chanoine Pichon poussa la complaisance jusqu'à certifier par écrit que les documents Bouvier-Guéranger avaient pu périr dans l'incen-

(1) M. A. Houtin, né à La Flèche (Sarthe), fut novice à Solesmes et eut communication de tous les papiers de l'abbaye, au moment où il écrivit sa *Vie de dom Couturier, second abbé de Solesmes*. Il est mort sécularisé, à Paris, en 1926.

die de l'évêché en 1871. Les moines triomphaient ; l'évêque avait fait un marché de dupe.

On dit qu'il y a une providence pour les ivrognes ! Quelquefois elle étend sa sollicitude sur les faussaires. Dans l'occurrence elle leur fit défaut. De 1873 à 1882, l'abbé Gustave Esnault, fervent collectionneur, fut pro-secrétaire de l'évêché du Mans. Mis au courant des négociations entreprises par dom Couturier pour obtenir la destruction ou la livraison du dossier qui inquiétait les moines de Solesmes, il explora clandestinement les pièces menacées et en mit de côté, dans son cabinet, un certain nombre des plus importantes ; il les fit ensuite relier (1). Après sa mort, en 1894, le registre passa entre les mains de ses héritiers qui le rendirent à l'évêché, sans que les Bénédictins eussent vent de ces détails.

Dom Delatte prit la succession de dom Couturier en 1890. L'histoire de dom Guéranger avait été préparée de longue main par l'abbesse de Sainte-Cécile, Cécile-Jenny Bruyère. Le manuscrit en avait été vu, rectifié et annoté en 1875, par le cardinal Pitra.

— J'avais entendu dire — m'écrivait de Saint-Servan, le 14 août 1911, Mgr Duchesne — que dans la communauté de Sainte-Cécile il y avait une *Histoire de dom Guéranger et de ses œuvres* et que le cardinal Pitra s'étant transporté là en 1875 — je l'y ai visité alors — se fit apporter le travail et en agrémenta les marges d'une série de rectifications, surtout en ce qui regardait l'affaire du prieuré de Paris (2). Qu'est devenu ce manuscrit ?

Dom Delatte se mit en tête de mettre au jour la susdite *Vie*. Il la retoucha, lui fit subir les transformations qui lui semblaient utiles et la livra à la publicité en 1909-1910, sous

(1) M. l'abbé Esnault, avec qui j'étais très lié, me mit au courant de son opération.

(2) Voir sur l'histoire de ce prieuré mon volume : *Dom Guéranger, abbé de Solesmes, et Mgr Bouvier, évêque du Mans*.

ce titre : *Dom Guéranger, abbé de Solesmes*, par un bénédictin de la Congrégation de France (1).

En face des diffamations produites par l'hagiographe de dom Guéranger, portant en particulier sur la personne de l'évêque du Mans, Mgr Bouvier, je crus devoir entreprendre leur réfutation (2) dans *la Province du Maine*, à l'aide du dossier restitué à l'évêché et de renseignements puisés à d'autres bonnes sources. Ce travail, commencé dans le numéro de janvier 1910, continua dans les fascicules suivants jusqu'à novembre inclusivement.

Le bruit se répandit, dans un certain milieu, que je publiais une réfutation de l'ouvrage de dom Delatte. L'un des premiers avertis fut M. A. Pécoul, châtelain de Villiers, à Draveil (Seine et-Oise), ancien postulant à Solesmes à l'époque de dom Guéranger et ancien attaché d'ambassade à Rome pendant le concile du Vatican. Il m'écrivit une première fois en me disant :

— S'il y a parmi les néo-Solesmiens des hommes capables de réfléchir, ils comprendront quel tort ont fait à la réputation de dom Guéranger les maladroits panégyristes qui ont fabriqué le fatras attribué à dom Delatte. On se serait borné au rôle doctrinal de dom Guéranger, vous ne seriez pas intervenu.

Sans avoir de renseignements précis, je m'attendais à voir un jour ou l'autre paraître l'œuvre préparée de longue main par l'abbesse (de Sainte-Cécile). Aussi, ai-je, à plusieurs reprises, pressé dom Guépin, l'Eliacim de dom Guéranger, de retracer l'œuvre doctrinale du fondateur de Solesmes. Dom Guépin aurait su éviter les épisodes épineux.

Le 12 avril 1910, c'était la lettre suivante :

— *Villiers, par Draveil (Seine-et-Oise).* — Monsieur le chanoine. Mon ami, Mgr Battandier, auteur d'une *Histoire du cardinal Pitra* (3),

1 Paris, librairie Plon-Nourrit et Cie et G. Oudin. 2 vol. in-8°. — Cet ouvrage a eu plusieurs éditions. J'ai travaillé sur la première.

2 M. le chanoine H. Bruneau s'était d'abord chargé de cette besogne, mais il me passa la main.

3 *Le cardinal Jean-Baptiste Pitra, évêque de Porto, bibliothécaire de la sainte Eglise*, par Albert Battandier, ancien vicaire général du cardinal Pitra. Paris, Sauvaitre, boulevard Haussmann, 72, 1893 ; grand in-8° de XXXVI — 968 pages.

m'informe que vous avez publié plusieurs articles critiques sur l'*Histoire de dom Guéranger*, écrite par dom Delatte sur les notes et l'inspiration de l'abbesse de Sainte-Cécile de Solesmes.

Il y a cinquante ans, j'ai passé une année, à titre de postulant, au noviciat de Solesmes. Un manque de santé m'a obligé de renoncer à la vie bénédictine. Mais je suis resté profondément attaché à l'ordre de Saint-Benoît et j'ai toujours la mémoire de dom Guéranger en grande vénération. Si j'ai cessé toute relation avec les néo-Solesmiens, je suis resté en rapport d'amitié avec dom Pothier et avec les moines de Ligugé réfugiés en Belgique.

Je désirerais connaitre les critiques, probablement trop fondées, que vous avez publiées sur l'ouvrage de dom Delatte et je vous prierai de vouloir bien m'indiquer où elles ont été publiées.

Vous me permettrez de vous offrir quelques pages d'un de mes amis, M. Paul de Malijan, à propos de deux vies du cardinal Pitra. L'auteur n'a pas voulu s'étendre sur le livre de dom Cabrol (1), production indigne, écrite sous la même inspiration que celle de dom Delatte, mais les quelques mots qu'il en dit sont à peine assez sévères...

Après réponse de ma part, M. Pécoul continua ainsi la conversation :

— *Draveil, le 14 avril 1910.* — Monsieur le chanoine. Tous mes remerciements pour les renseignements que vous voulez bien me donner. Si ce n'est pas abuser de votre obligeance, je vous prierai de me faire envoyer ce qui a paru de l'année où sont vos articles...

Il était imprudent de donner une grande vie complète détaillée de dom Guéranger. Il fallait se borner à un *curriculum vitæ* et ne s'étendre que sur les grands épisodes de son existence, ses travaux, ses polémiques, sur lesquels les avis peuvent différer, mais qui appartiennent à l'histoire de l'Eglise.

Doué d'une vaste intelligence, d'un sens doctrinal prodigieux, dom Guéranger avait l'esprit étroit. Très évêque, Mgr Bouvier entendait être le maitre dans son diocèse, et c'était son droit. Venu à Solesmes en 1860, je n'ai eu que les échos de ces différends.

(1) *Histoire du cardinal Pitra*, par le R. P. dom Fernand Cabrol, prieur de Solesmes, professeur d'Histoire et de Patristique à l'Université catholique d'Angers. Paris, Victor Retaux, 82, rue Bonaparte, 1893, in-8°.

Il est probable que cette protestation contre cette vie de dom Guéranger ne sera pas isolée. Je n'ai pas encore l'ouvrage, mais je m'attends à y trouver d'étranges choses.

L'ambition de l'abbesse (de Sainte-Cécile) était de faire canoniser dom Guéranger. Afin de préparer les pièces du procès, elle a fait rassembler à grands frais tous les documents et souvenirs se rapportant de près ou de loin à dom Guéranger. Elle-même a rédigé certaines parties. Puis, elle a abandonné à dom Delatte le soin d'écrire cette vie.

A la suite d'événements que je n'ai pas à rappeler et moyennant la souscription d'un formulaire, abbé et abbesse, suspendus pendant plusieurs mois, furent rétablis, mais seulement *ad nutum Pontificis* et même, après sa réélection, le pape a laissé dom Delatte dans cette situation (1).

Il faut ajouter que dom Guéranger refusa l'entrée du noviciat à dom Delatte. Ce n'est que sous dom Couturier que dom Delatte fut, sur les instances de l'abbesse, admis au noviciat.

Dom Delatte était moins qualifié que personne pour écrire la vie de dom Guéranger. Une seule personne pouvait se charger de ce soin, dom Guépin, abbé de Silos ; mais il a été absorbé par d'autres soins...

Ayant pris connaissance de mes premiers articles, M. Pécoul me communiqua ses impressions, dans une série de lettres dont voici des fragments :

— *Draveil, le 16 avril 1910.* — Je n'ai pu que parcourir vos articles ; mais je constate, dès cette première lecture, que dom Delatte a devant lui *un rude adversaire.* Vous êtes documenté et vous puisez même dans les pamphlets du malheureux des Pilliers (2) où, laissant la forme de côté, il n'y a que trop de faits exacts et des documents authentiques.

C'est suggestionné par l'abbesse que dom Delatte a fait ce livre ; il n'a pas compris qu'il exposait la mémoire de dom Guéranger.

(1) Pour détails, voir A. Houtin, *Une grande mystique. Madame Bruyère, abbesse de Solesmes.* Paris, Félix Alcan, 1925.

(2) *Les Bénédictins de la Congrégation de France : Mémoires* de Pierre des Pilliers, *ancien prêtre et vicaire de Clairvaux (Jura), jadis bénédictin de Solesmes (Sarthe), fondateur et premier supérieur de l'abbaye d'Acey (Jura)* ; 6e édition. Chambéry, 3 juin 1887. — La première édition est de 1869.

Mgr Bouvier, tout en se montrant paternel pour Solesmes, entendait rester l'évêque du Mans. L'exemption *nullius* ne pouvait s'étendre au delà de l'enceinte du monastère. D'un autre côté, il était un de ces gallicans *théoriques* qui, dans la pratique, ne refusent rien à l'autorité du pape.

Vous dites un mot du saint dom Gardereau (1), homme de toute valeur, dont dom Guéranger n'a pas su tirer tout ce qu'il pouvait donner à l'ordre. Je le connaissais de longue date sans l'avoir vu ; son père était à Bourbon-Vendée où mon grand-père, M. de Lauriston, fut plusieurs années receveur général.

J'ai fait venir l'œuvre de dom Delatte. Je crains d'y rencontrer plus d'une inexactitude. Le P. Cabrol a dû avoir la patte dans la sauce. Dom Delatte n'a pas remis à l'imprimeur son manuscrit mais une copie faite par un de ses moines.

Dans une brochure devenue rare, l'abbé Houtin, répondant à dom Chamard, rappelle que Solesmiens et Solesmiennes ont dû souscrire à la condamnation de propositions déférées au saint office (2). Connaissez-vous ces propositions ?

Le cardinal Mertel disait tout haut à Rome que la *Suprema* voulait agir sévèrement. Léon XIII, dont la diplomatie si vantée a consisté à tout accorder aux requêtes présentées par des diplomates, n'a pas fait publier ces propositions. Le Saint Office a pu cependant obtenir que l'abbesse et l'abbé ne seraient rétablis que *ad nutum pontificis*.

Si lors de la crise qu'on appelle par euphémisme la crise de Solesmes, il y eût eu à la tête du diocèse un évêque comme Mgr Bouvier, tout se serait passé autrement. Mgr Labouré y a gagné le chapeau...

Vous feriez bien de prendre vos précautions et de tenir sous triple clef tout ce qui se rapporte à la campagne que vous menez. Défiez-vous aussi des espions...

— *Draveil, le 19 avril 1910.* — Un examen rapide du livre de dom Delatte me confirme dans l'opinion que cet ouvrage, œuvre incontestable de plusieurs collaborations, a été revu, émondé de tout ce qui pouvait donner prise à des protestations. Dom Delatte et ses complices,

(1) Voir A. Ledru, *Dom Guéranger, abbé de Solesmes, et Mgr Bouvier, évêque du Mans*, pp. 66-67.

(2) Par dom Sauton et dom de la Tremblaye. Voir A. Houtin, *Une grande mystique*.

obligés de rentrer leurs griffes dans plus d'un chapitre, s'en sont donné à cœur joie à propos de Mgr Bouvier, *supposant qu'un évêque mort depuis 1854 ne trouverait pas d'avocat...*

Quelqu'un qui en sait long sur ce qui se passait à Solesmes, est le liquidateur Ménage, qui a eu toutes les confidences de la Tremblaye. Les deux abbayes sont riches à millions. On a parlé de plus de 20 millions pour Saint-Pierre, et Sainte-Cécile doit avoir davantage...

— *Ouchy-Lausanne, le 8 mai 1910.* — Tout sera mis en œuvre pour gêner votre publication, au besoin pour la faire interdire. Sous le libéral Léon XIII, c'eût été vite fait et le vertueux cardinal Rampolla eût adressé un *quos ego* à l'évêque du Mans l'invitant à vous imposer silence...

— *Paris, le 1er juin 1910.* — Vous parlez de la continuation de l'*Année liturgique* de dom Fromage. Dom Guéranger a pu laisser des notes pour l'achèvement de cet ouvrage, mais elles devaient être de peu d'importance. C'est sous la direction de l'abbesse que dom Fromage a écrit cette continuation, du reste fort médiocre. Passée à la loupe par un théologien consommé, cette œuvre pourrait paraître remplie de microbes... Les néo-Solesmiens viennent de recueillir une *floppée*, comme eût dit dom Guéranger, en la personne de dom Mocquereau, dans la *Tribune de Saint-Gervais*. Ils n'ont pas le tact de la modestie et du silence...

— *Paris, le 5 juin 1910.* — Je déplore cette publication (de dom Delatte) qui ne peut que diminuer la gloire de dom Guéranger qui a eu un si grand rôle... Vous défendez Mgr Bouvier qui fut un évêque comme il nous en faudrait beaucoup et dont Solesmes devrait vénérer la mémoire...

— *Paris, le 10 juin 1910.* — Dans ce moment les abbés sont réunis en chapitre général. Il est possible qu'en dehors des délibérations capitulaires, ils examinent ce qu'il y a à faire pour atténuer l'effet de votre critique... Il est possible que les néo-Solesmiens pratiquent la conspiration du silence ; il est difficile de vous répondre franchement : vous êtes documenté et renseigné...

— *Paris, le 6 juillet 1910.* — Encore fort souffrant, je ne puis songer à courir le pays (en venant au Mans). Après le 15, je serai à la campagne, à Draveil. Pourquoi ne me feriez-vous pas l'honneur et le plaisir de venir m'y voir ? En deux ou trois jours, on aurait le temps de causer. Par Versailles, sans même entrer dans Paris, on arrive à Juvisy d'où ma voiture amène en deux minutes à mon habitation. Vous diriez votre messe sans avoir besoin de *celebret*, comme tous les prêtres qui viennent me voir. Vous auriez la chambre des Bénédictins, non Solesmiens bien entendu...

— *Draveil, le 28 juillet 1910.* — Au sujet du grégorien, vous paraissez pencher vers l'interprétation *enmocquereautée* (1), qui n'a obtenu du Vatican qu'un *tolerari posse* et que condamnent les grandes autorités comme Widor, Wagner, Gastoué, pour ne citer que trois noms.

Je viens de relire tous vos articles. Dom Delatte a *certainement été mal inspiré en publiant son livre* ; il vous a amené à révéler les petits côtés de dom Guéranger.

Puisque vous paraissez me le permettre, je vous soumettrai quelques remarques et des conseils de prudence. Le Saint Office et l'*Index* ne s'occupent que très rarement des articles de revues et de journaux ; ainsi donc vous êtes encore à l'abri. Mais ces congrégations examinent toujours les ouvrages qui leur sont déférés, surtout quand elles trouvent la besogne préparée pour une condamnation par un mémoire à l'appui de la dénonciation. Alors la moindre protection suffit.

Votre travail sent le fagot, on y trouve un relan prononcé de gallicanisme...

Voyez à ne pas vous exposer, si les mystiques de Solesmes obtenaient — ce qui ne serait pas difficile — la condamnation de votre livre, vous perdriez toute autorité sur les questions que vous traitez ; tout ce que vous avancez, même avec preuve à l'appui, passerait pour suspect, votre livre serait disqualifié à tout jamais (2).

Sur l'affaire du prieuré Saint-Germain, dom Delatte embrouille délicatement les choses, mais renvoie aux pages perfides de dom Cabrol, sans citer Battandier. Je pense que vous êtes fixé sur la question

(1) Ici M. Pécoul se trompe. Je ne suis ni pour dom Mocquereau, ni pour dom Pothier. Le grégorien ne me paraît pas du tout au point.

(2) Il eût fallu ajouter : *auprès des catholiques ignorants*. *L'Histoire ancienne de l'Eglise* de Duchesne, malgré sa mise à l'*Index*, reste un livre d'une haute autorité.

et que vous prendrez parti pour dom Pitra. Dom Guéranger avait fini par *s'autosuggestionner* et croire de bonne foi que toutes les erreurs étaient du fait de dom Pitra ! Inutile de parler du dissentiment (de Pitra) avec Léon XIII ; il y a là des dessous fort malpropres ; j'en connais une partie qui font peu d'honneur à ceux qui ont exploité la vanité de Léon XIII. Il y a des choses qu'on ne peut encore publier (1).

— *Draveil, le 9 août 1910.* — Je me permets de vous renouveler mes recommandations de prudence. Evitez tout ce qui pourrait être un prétexte, d'autant que les intéressés ont parmi les consulteurs de l'*Index* un allié très influent en la personne d'une vieille baderne...

— *Draveil, le 21 août 1910.* — *Vous êtes un terrible adversaire et je ne vois pas ce que les néo-Solesmiens pourront répondre.* Ils seront fort embarrassés quand vous les mettrez en cause, en rappelant *la crise de Solesmes*, abbesse et abbé suspendus, formulaire souscrit, etc...

De toute évidence, il se mijotait quelque chose contre moi, car à Solesmes on ne décolerait pas contre l'audacieux qui osait contredire un révérendissime abbé bénédictin.

Le jeudi 18 août 1910, je fus convoqué à l'Evêché. Je m'y rendis à 11 heures du matin ! Mgr de Bonfils m'apprit très aimablement qu'il venait de recevoir de Rome une lettre d'un individu qu'il ne me nomma pas (2), le prévenant que les Bénédictins furieux préparaient une revanche. « Dom Delatte, me dit l'évêque, ne bougera pas si vos articles ne dépassent point la publicité de *la Province du Maine ;* mais dans le cas où vous en feriez un volume destiné à être répandu en France et à l'étranger, il chercherait à le faire frapper par l'*Index*. Vous voilà averti ; vous ferez ce que vous voudrez. Je ne pourrai pas vous donner l'*Imprimatur*, mais je ne vous adresserai aucun blâme. La seule chose qu'on peut vous reprocher, c'est d'avoir eu la dent dure ! »

En me tenant ce propos, l'évêque était-il encore sous

(1) M. Pécoul détestait Léon XIII et Rampolla.

(2) C'était l'abbé Tarot, ancien missionnaire de N.-D. du Chêne, devenu prêtre de la Congrégation du Saint-Sacrement à Rome.

l'impression de la lettre suivante, qui lui avait été écrite de Solesmes, le 8 août 1910, par le bénédictin dom Foubert, curé de Solesmes ?

— Monseigneur. L'époque des retraites approche et je ne veux pas attendre la dernière heure pour vous adresser une demande.

Ayant eu l'occasion de m'écrire au mois de mai dernier pour une affaire administrative, vous avez eu la bonté de m'écrire un petit mot qui m'a été droit au cœur : *La polémique de M. Ledru avec dom Delatte me fait à moi comme à vous beaucoup de peine*. C'était reconnaître que je devais souffrir de ce qui se passait. Depuis, les choses ont pris de la part de M. Ledru *un tel caractère de malveillance contre dom Guéranger* que ce n'est plus dom Delatte seulement qui est en jeu, mais dom Guéranger que l'auteur des articles de *la Province du Maine* se plaît à diminuer à l'instar de ses plus mortels ennemis. Solesmes même, dans son œuvre actuelle, est attaqué à plaisir, témoin l'article de juin où il est question des œuvres scolaires auxquelles dom Delatte ne se serait pas intéressé. Vous savez la vérité à ce sujet. Monseigneur, je ne reviens pas sur cette inexactitude (1), qui, en tous les cas, était formulée de la façon la plus malveillante et n'avait aucune raison d'être dans la critique de la vie de dom Guéranger (2).

Pour toutes ces raisons, je supplie humblement Votre Grandeur de ne pas m'obliger à prendre part aux exercices de la retraite ecclésiastique. Il me serait trop pénible d'entendre toutes les récriminations que ne manqueraient pas de m'adresser ceux que M. Ledru a su si bien tourner contre Solesmes.

Je tiens à vous dire, monseigneur, que j'ai fait ma retraite à Quarr au mois de juin dernier lors de mon voyage en Angleterre (3).

Mis au courant de mon entrevue avec Mgr de Bonfils, M. Pécoul m'écrivit quelques jours plus tard :

— *Draveil, 25 août 1910*. — Vous étiez prévenu que les intéressés agiraient à Rome. On ne touchera pas à ce qui n'a paru que dans une revue, mais c'est au volume qu'on vous attend.

(1) Voir *la Province du Maine*, t. XVIII (1910), p. 202. — Ce que j'y dis est absolument exact et venait des autorités diocésaines.

(2) Tout ce qui concerne les Bénédictins doit être mis sous le boisseau. C'est entendu.

(3) Archives de l'évêché du Mans. Autographe. Dossier *Mgr de Bonfils*.

Les intéressés ont des appuis sérieux, entre autres le R. P. Eschbach, procureur au séminaire français et leur homme lige. Il est très influent, est dépourvu de tout scrupule et ignore ce qu'est la délicatesse...

Il est utile de prendre *dès maintenant* vos précautions. Votre évêque peut, dès maintenant, écrire au secrétaire d'Etat et au préfet de l'*Index* et vous prendre sous sa protection. Il dirait que vous avez tenu à défendre la mémoire d'un de ses plus dignes prédécesseurs, prélat que Pie IX avait traité d'une manière exceptionnelle et qu'avant de vous condamner le Saint Office et l'*Index* ne peuvent faire moins que vous entendre et d'examiner de près s'il y a des erreurs doctrinales dans vos écrits.

Voyez à vous assurer, le cas échéant, l'appui de Mgr Duchesne, il dispose de nombreux moyens d'action. Seulement, ne lui laissez pas entendre que nous nous connaissons ; il m'en veut à propos d'un article qui date de 13 ans et dont il faisait les frais.

Mgr Battandier peut vous donner de bonnes indications...

Je vois ce qui dans vos articles peut être le prétexte d'une dénonciation et d'une condamnation ; je dis prétexte et pas davantage...

Comme il vient d'être question du R. P. Eschbach, docteur en théologie, procureur au séminaire français à Rome et ami de Solesmes, je veux en dire ici quelques mots :

Alphonse Eschbach, mort à Notre-Dame de Langonnet, diocèse de Vannes, le 24 octobre 1923, naquit à Ingersheim, diocèse de Strasbourg, le 6 janvier 1839. Entré dans la congrégation du Saint-Esprit en 1855, il fut scolastique à Rome, puis prêtre le 21 septembre 1861. Après avoir rempli différents postes, il fut, en 1875, nommé supérieur du séminaire français à Rome et procureur général de sa congrégation. Il devint aussi consulteur du concile, membre de la commission pour la codification du droit canon, de la propagande pour les affaires du rite oriental et de l'*Index*.

Alors qu'il était supérieur du séminaire français, le P. Eschbach publia un livre *fort apprécié*, écrit Mgr Battandier (1) : *Disputationes physiologico-theologicae, tum medicis*,

(1) *Annuaire pontifical* de 1924, p. 845.

chirurgis, tum theologis et canonistis utiles (1). Cet ouvrage, dicté en partie aux élèves du séminaire français qui le qualifiaient de *cochonnerie*, fut loué et approuvé par le cardinal Perraud, évêque d'Autun ; Louis Robert, évêque de Marseille ; Joseph Dabert, évêque de Périgueux et de Sarlat ; le cardinal Seinhuber et autres.

Ecrit avant l'âge de 45 ans, par un prêtre voué au célibat, sous le prétexte d'être utile aux médecins, aux chirurgiens, aux théologiens et aux canonistes, ce livre est un livre absolument ordurier, qu'on n'oserait pas traduire en français. Il fut attaqué par Henri Lasserre, l'auteur de *Notre-Dame de Lourdes*, dans ses *Mémoires à Sa Sainteté* (2). Le P. Eschbach avait été l'un des promoteurs de l'extraordinaire mise à l'*Index* de la *Traduction des Saints Evangiles*, par Lasserre. Ces malpropretés, soi-disant théologiques, sont souvent agrémentées de citations françaises tirées d'auteurs différents, laïques et ecclésiastiques. Mgr Bouvier y figure même (3).

Le P. Eschbach semble n'avoir été qu'un drôle. Il entretenait, au dire de Lasserre, des relations suspectes avec une dame veuve, Mme R... Il aurait même fait percer une porte secrète dans une pièce du séminaire français pour gagner la maison voisine achetée par lui afin d'y loger la susdite veuve (4).

A ma connaissance, le P. Eschbach n'intervint pas en faveur de Solesmes, comme le craignait M. Pécoul, qui con-

(1) Paris, chez V. Palmé, rue des Saints-Pères, 76 ; Bruxelles, J. Albanel, 12, rue des Paroissiens ; Genève, Henri Trembley, rue Corraterie, 4 ; 1884, grand in-8°, de 526 pages. — Nouvelle édition, Rome, Desclée, Lefebvre et Cie, éditeurs, 1901, in-8° de 590 pages.

(2) Tirage confidentiel pour le pape (1891). — Je crois qu'il n'existe plus que de rares exemplaires de cet ouvrage écrit pour le pape. Le reste a été détruit. Je l'ai eu entre les mains chez M. l'abbé Charles Sauton, curé de Laval-lès-Bruyères (Vosges), frère du bénédictin dom Sauton. Lasserre en imprimant ce livre s'est créé de nombreuses inimitiés en dévoilant les dessous de sa mise à l'*Index*, inimitiés génératrices de calomnies.

(3) A cause de son petit livre qu'on peut appeler malheureux : *Dissertatio in sextum decalogi praeceptum*, opuscule qui lui attira de fâcheuses critiques.

(4) Voir *Mémoires à Sa Sainteté*.

tinua à m'écrire, me donnant des directions afin d'éviter les rigueurs du Saint Office.

Dans une de ses missives, datée de Draveil, le 30 octobre 1910, oubliant qu'il avait qualifié le P. Eschbach : *homme sans scrupule*, il m'en fit le portrait suivant :

— L'admirateur des néo-Solesmiens, consulteur de l'*Index*, est le P. Eschbach, du séminaire français, c'est *un digne prêtre*, mais qui glisse dans le gâtisme. J'ai dû cesser toute relation avec lui à cause des cochonneries qu'il m'a faites, oubliant les services que j'ai rendus au séminaire français, même une fois au péril de ma vie...

Mon parti était pris : malgré les menaces de l'*Index*, je voulais un volume, surtout pour y faire passer des chapitres omis dans *la Province du Maine*. Avant de me rendre au château de Villiers chez M. Pécoul (1), au commencement de novembre 1910, je priai mon imprimeur de Laval, M. Goupil, de faire examiner les bonnes feuilles de mon volume à l'évêché de Laval pour tenter l'obtention d'un *Imprimatur* ou d'un *Nihil obstat*. Je comptais d'autant moins sur la réussite de ma démarche que j'avais reçu de M. Goupil lui-même l'avertissement suivant :

— L'évêché du Mans ressemble à *Janus bifrons*, la face que vous voyez peut vous sourire, mais la face qui regarde Laval est plus lamentable.

Mon imprimeur, ayant accompli sa mission, reçut cette lettre entièrement de la main de l'évêque de Laval :

— *Evêché de Laval. Laval, le 7 octobre 1910.* — Cher monsieur Goupil. J'ai jeté un rapide coup d'œil sur les fascicules imprimés que vous m'avez envoyés, première partie de l'ouvrage intitulé *Dom Guéranger... et Mgr Bouvier...* Pour vous rendre service ainsi qu'à l'auteur, j'ai hâte de vous adresser les observations suivantes :

Quand le censeur ecclésiastique et l'évêque doivent examiner un ouvrage avant d'accorder l'*Imprimatur*, c'est sur le manuscrit qu'ils ont

(1) M. Pécoul avait constitué dans son château une magnifique bibliothèque d'auteurs ecclésiastiques d'environ 40.000 volumes. Il y avait en particulier réuni tous les documents concernant le concile du Vatican.

à travailler ; autrement la question est engagée d'avance, des frais sont faits, l'écrivain et l'éditeur ont leur réputation à soutenir devant l'opinion, et enfin si l'évêque est amené à imposer des corrections, l'imprimé ne lui laissse plus autant de liberté qu'il est souhaitable.

Dans notre cas, ces remarques ne sont pas de la simple théorie. Dès les premières pages, il est visible que l'auteur de *Dom Guéranger et Mgr Bouvier* va mener une vive controverse sur le mérite, les entreprises, les initiatives de dom Guéranger ; qu'il sera l'ardent adversaire du moine et de son historien ; qu'il exposera les discussions entre l'évêché du Mans et Solesmes *sans se préoccuper de l'effet sur le public de nos contrées* (je souligne). Est-il naturel, est-il équitable qu'un tel livre me soit envoyé, non pas en manuscrit, mais en imprimé, comme si l'*Imprimatur* ne pouvait être douteux ? Je regretterais que l'auteur — un prêtre — trouvât mon observation hors de propos et prît l'attitude d'un homme assuré de réussir. — Croyez, cher monsieur Goupil, à mes sentiments dévoués en N.-S. — † *Eugène, év. de Laval.*

M. Goupil me communiqua cette missive, qui, au fond, m'était destinée. Je répondis de chez mon ami le vicomte d'Elbenne où j'étais en villégiature.

— *Château de Couléon, par Tuffé, Sarthe, 9 octobre 1910.* — Monseigneur. M. Goupil me communique la lettre de Votre Grandeur. Il est donc utile que j'intervienne pour vous exposer la situation où je me trouve :

J'ai prié M. Goupil de déposer à l'évêché de Laval les feuilles de *Dom Guéranger* pour me soumettre aux prescriptions ecclésiastiques. Je n'ai pu y déposer préalablement le manuscrit pour la bonne raison que ce manuscrit n'a été composé qu'au fur et à mesure des besoins de la *Revue* dans laquelle il a paru par morceaux. Ce n'est donc qu'un tirage à part que je vous présente. Quand j'ai commencé ma réfutation de dom Delatte, je n'avais pas l'intention d'en constituer un volume. Si je puis m'exprimer ainsi, le volume s'est fait tout seul. C'est vous dire que je ne suis pas l'homme assuré de réussir.

Autrefois, j'avais la plus profonde admiration pour dom Guéranger, que je croyais un grand homme et un saint. La lecture des pages qui lui ont été consacrées par son successeur médiat, a accéléré la destruction de mes illusions. Comme je suis curieux par nature, j'ai voulu étudier la question de plus près, et alors je me suis aperçu que Mgr Bouvier, de très respectable mémoire, y était odieusement calomnié. Je me suis décidé à écrire les lignes que vous avez sous les yeux.

J'avoue que je ne ménage pas la mémoire du moine parce que je crois que la vérité ne peut jamais perdre ses droits, surtout quand il s'agit d'un évêque illustre, originaire de votre diocèse et votre prédécesseur. L'évêque et l'abbé doivent, il me semble, prendre aux yeux de la postérité leur vraie physionomie. La justice est due aux morts aussi bien qu'aux vivants. La forme de mon livre paraîtra peut-être passionnée, mais le fond est absolument sincère.

Dans mon ouvrage, il n'y a rien, je crois, ni contre la doctrine ni contre les mœurs. Cependant vous pouvez me refuser le *Nihil obstat* que je demande (ce que n'a pas fait dom Delatte). Si vous me l'accordez avec des restrictions, j'imprimerai ces dernières à la fin du volume pour dégager votre responsabilité.

En tout cas, monseigneur, je vous prie de croire que j'accepterai votre décision avec les sentiments de respectueux dévouement que je prie Sa Grandeur de vouloir bien agréer. — *A. Ledru, chan. hon.*

Cette lettre me valut la réponse suivante :

— *Evêché de Laval. Laval, le 10 octobre 1910.* — Monsieur le chanoine. Je suis trop accablé de toute sorte d'occupations pour m'engager dans une controverse préalable à l'examen de votre ouvrage. Cependant, une courte réponse à votre bonne lettre vous sera peut-être utile ; je vous l'adresse à la hâte.

Vous reconnaissez certainement le bien fondé de mes réflexions sur la nécessité de soumettre à l'examen des manuscrits plutôt que des épreuves imprimées, lorsqu'il y a doute sérieux sur l'obtention du *Nihil obstat*. Et le doute existe bien dans votre cas, puisque l'autorité épiscopale doit se demander, non seulement si tel ouvrage respecte la doctrine et la morale, mais encore quels en peuvent être les effets *pour la piété et l'édification des âmes* (je souligne). Que dom Delatte — je n'ai pas lu son livre — n'ait pas été aussi équitable qu'il le devait envers l'évêché du Mans et notamment envers le vénérable Mgr Bouvier, *c'est ce que j'entends dire à des ecclésiastiques distingués, et je suis porté à le croire* (je souligne). S'il avait été tenu de me demander l'*Imprimatur*, je n'aurais pas manqué d'examiner très sérieusement le cas et de donner à mon examen les suites convenables. Mais ma juridiction ne s'étendait pas jusque-là !

En vue de l'hypothèse où je me croirais en droit de vous accorder l'*Imprimatur*, mais aussi de formuler des réserves, vous me proposez de dégager ma responsabilité en plaçant mes restrictions à la fin du volume. Cet expédient, monsieur le chanoine, ne me paraît guère pratique et ne vous donne pas beaucoup d'espoir d'aboutir. D'après ce qui m'est déjà connu de votre ouvrage et ce que vous me dites dans votre lettre si intéressante, je crains beaucoup que nous ne nous heurtions au refus du *Nihil obstat*. Je vous prie donc, monsieur le chanoine, à moins que vous n'ayez quelque raison puissante de m'imposer le travail en question, demeurons-en à l'échange de cette courte correspondance. C'est une prière que je fais : j'avoue d'ailleurs que vous avez le droit de ne pas y déférer.

Veuillez croire, monsieur le chanoine, à mes dévoués respects en N.-S. — † *Eugène, év. de Laval.*

Il était inutile d'insister davantage auprès du très aimable Mgr Grellier. Je lui envoyai ces lignes de Couléon, le 13 octobre 1910 :

— Monseigneur. J'accepte de grand cœur les observations que vous voulez bien m'exposer dans votre lettre du 10 courant, et je retire purement et simplement ma demande d'*Imprimatur*. J'avoue que mon livre ne peut être qualifié édifiant. Mais j'ai cru que les questions soulevées imprudemment par dom Delatte demandaient une réponse et qu'il était utile pour ceux qui ont lu le *Dom Guéranger* de l'abbé de Solesmes d'avoir sous les yeux la contre-partie de son ouvrage, afin que la mémoire du vénérable Mgr Bouvier ne restât pas entachée d'accusations absolument injustes et même infâmantes. J'aurais certes pu le faire avec une plus grande discrétion, je le reconnais sans difficulté. Néanmoins, je crois pouvoir me rendre cette justice que je n'ai rien avancé que sur preuves.

Si vous n'y voyez pas de difficulté, et je soumets le cas à Votre Grandeur, j'insérerai votre lettre à la fin de mon volume, comme témoignage de la démarche que j'ai faite auprès de l'autorité ecclésiastique. Si cette insertion vous semble inutile et est contraire à votre désir, je me ferai un devoir de me soumettre à votre décision.

Vous voudrez bien agréer, etc... — *A. Ledru, ch. hon.*

L'évêque répliqua sans tarder :

— *Evêché de Laval. Laval, le 14 octobre 1910.* — Monsieur le chanoine. Je vous remercie de vouloir bien tenir compte de mes réflexions. La lettre où je vous les exprimais vous appartient et je vous en laisse volontiers l'usage. Mais si vous publiez votre volume, il faudra qu'il soit précédé du *Nihil obstat* et de l'*Imprimatur*. Et vous sera-t-il possible de l'obtenir dans quelque diocèse que ce soit, à moins que vous n'ayez d'abord écarté de votre texte les excès de vivacité et d'ardente offensive, soit contre dom Guéranger, soit contre dom Delatte ? Je vous prie, monsieur le chanoine, de bien vouloir apprécier l'intention qui m'inspire cette remarque. Mon dessein unique est de vous faire éviter les risques d'une situation à laquelle ni vous, ni un imprimeur catholique ne sauriez vous exposer.

Croyez, s'il vous plait, à mes sentiments bien dévoués en N.-S. — ✝ *Eugène, év. de Laval.*

J'en restai là avec les *Imprimatur* et les *Nihil obstat*. Mon volume parut, en 1911, sous le titre de *Dom Guéranger, abbé de Solesmes et Mgr Bouvier, évêque du Mans*, avec les noms sur la couverture, d'Honoré Champion, libraire à Paris, et d'A. de Saint-Denis, libraire au Mans. M. Goupil, qui désirait y mettre le sien, m'avertit, par lettre du 27 octobre 1910, qu'il en avait été formellement empêché par l'évêché de Laval et qu'il avait reçu l'ordre de ne pas en accepter le dépôt.

A l'annonce de cet acte d'intolérance, je fus sur le point (je m'en abstins cependant pour ne pas nuire à M. Goupil), d'adresser à Mgr Grellier la lettre suivante que j'ai gardée en minute :

— Monseigneur. M. Goupil, l'imprimeur de votre évêché, me donne avis que, sur vos ordres ou sur ceux de personnes de votre entourage, il est mis en demeure de ne pas mettre son nom sur la couverture de mon livre et de ne pas le prendre en dépôt dans son magasin de librairie. Cette prohibition rigoureuse vient certainement de ce que le volume n'est ni de nature à édifier les âmes, ni revêtu d'un *Imprimatur* quelconque, que j'ai d'ailleurs sollicité pour me conformer à la discipline ecclésiastique.

Vous me permettrez maintenant, monseigneur, une remarque qui n'est pas dénuée d'intérêt.

Vous savez, au moins par entendre dire, que l'ouvrage de dom Delatte n'est pas précisément, lui aussi, un livre *d'édification*. L'auteur ne le dissimule pas. « Les esprits faibles ou chagrins, écrit-il (t. I, p. 217) se demanderont, peut-être *avec scandale*, comment des démêlés, si longs et si âpres, *sont possibles entre gens d'église ;* ils rappelleront l'exclamation familière du poète s'étonnant que tant de fiel entre dans l'âme des dévots . » Et il met les pieds dans le plat avec une énergique persévérance, étalant le scandale, accusant les évêques de despotisme, d'intrigues, de fourberies, de révoltes, etc.

Ce bel ouvrage qui arrange si bien vos prédécesseurs dans l'épiscopat et en particulier un très vénérable évêque du Mans, originaire du diocèse que vous régissez, n'est revêtu d'aucun *Imprimatur*, d'aucun *Nihil obstat*. L'auteur, qui s'intitule un moine bénédictin de la Congrégation de France, s'en passe parfaitement, soit qu'on le lui ait refusé, soit qu'il ait méprisé son obtention.

Pourtant, j'attire votre attention sur ce point : vous avez laissé votre imprimeur tenir le dépôt du livre du moine bénédictin, le vendre à vos prêtres ainsi qu'aux laïques pies et impies, afin qu'ils sachent bien que beaucoup d'évêques contemporains de dom Guéranger étaient de tortueux et infâmes gallicans.

Je n'insiste pas davantage, monseigneur, vous devinez la conclusion à laquelle j'arrive naturellement. Vous semblez avoir deux poids et deux mesures ; l'indulgence pour le magnifique abbé crossé et mitré ; la rigueur pour le simple chanoine honoraire. N'est-il pas permis aussi de constater que croire à la liberté est une généreuse utopie : tout le monde la réclame, personne ne la tolère.

Chacun le sait : les humains acquièrent l'expérience progressivement et à leurs dépens. Malgré la peine qu'on éprouve à se défaire de vieilles erreurs et de vieilles illusions, qui vous tiennent d'autant plus au cœur qu'elles sont plus vieilles, on doit se montrer reconnaissant envers ceux qui les détruisent et qui vous procurent l'occasion de voir les choses terrestres telles qu'elles sont réellement.

C'est pour ce motif, monseigneur, que je vous prie d'agréer mes sentiments respectueux et surtout mes remerciments très sincères. — *A. Ledru.*

L'évêque du Mans, Mgr de Bonfils, le *Janus bifrons,* qui s'était, lui aussi, dérobé devant l'*Imprimatur,* tout en m'avertissant de me tenir en garde contre l'*Index*, m'adressa à la réception de mon livre, de Mamers, le 11 juillet 1911, ces quelques lignes sur sa carte :

— Grand merci, cher monsieur Ledru. Je suis bien sûr qu'au besoin vous défendriez les évêques du Mans d'aujourd'hui comme ceux d'autrefois. Pour les uns et pour les autres, inspirez-vous du calme que doivent verser en votre âme les ombrages, les eaux de Sérillac et surtout la douceur de ses habitants... angéliques.

Mgr de Bonfils, qui m'accordait ainsi un *Imprimatur* après la lettre, fait allusion à M. le comte et à Mme la comtesse d'Angély, chez qui je séjournais alors au château de Sérillac. Précisément, j'avais en 1910 presque entièrement composé mon ouvrage au même château de Sérillac, ce qui ne m'avait infusé aucune douceur particulière.

CHAPITRE II

Le livre de dom Delatte et la presse. — Comptes rendus de mon ouvrage. — Critiques et éloges. — Lettres de M. Fayolle, de Poitiers, de l'Abbé Kléber, de Mgr Duchesne, du P. Lecanuet, du chanoine Boissonnot, de Tours, du chanoine Favé, de Rouen, de l'abbé Alliot, de Versailles. — Le libraire Honoré Champion.

Un spectacle, je ne dirai pas douloureux, mais stupéfiant, est celui qu'offrent *les journaux* et beaucoup de *revues* à l'apparition de livres qui remuent des idées ou qui discutent de faits historiques. Presque tous veulent en parler dans le sens qui flatte leurs opinions ou leurs croyances. Encore est-il heureux quand les auteurs des comptes rendus, souvent d'une incompétence complète, ont pris la peine de lire !

La publication de la *Vie de dom Guéranger* par dom Delatte a soulevé dans la presse religieuse un vrai débordement d'enthousiasme. Voici l'énumération de quelques-uns des périodiques français qui, dans la circonstance, ont entonné l'*Hosanna :*

Semaine religieuse de Poitiers (1909). — *Semaine religieuse de Cambrai* (23 avril et 13 novembre 1909). — *L'Univers* (26 novembre 1909 et 22 mai 1910). — *Revue augustinienne* (15 décembre 1909). — *La critique du libéralisme*, de l'abbé Emmanuel Barbier (1er janvier 1910) — *Les Etudes* des PP. Jésuites

5 février 1910). — *Revue thomiste*, *de Toulouse* (mars-avril 1910). — *L'Action française*, article sur dom Besse, par Charles Maurras (31 mars 1910). — *Les Questions ecclésiastiques* (avril 1910). — *Chronique de la presse*, publication du journal *la Croix* (19 mai 1910). — *Le Peuple français* (14 juillet 1910). — *L'Ami du clergé* (10 mars et 6 octobre 1910), etc.

Il y a des perles, et de grosses là dedans. Qu'on en juge :

— « Il n'y a qu'à louer *la rare probité* et la fermeté de principes qui ont présidé à la composition de l'ouvrage, *le charme paisible et grave* dont ses pages sont remplies, l'abondance des renseignements qu'elles présentent. » *Etudes*, 5 février 1910.

— Dom Delatte « a un vrai tempérament d'historien ; son récit est complet, appuyé *de preuves et de documents scrupuleusement cités en notes ;* rien n'est omis ou passé sous silence. » *Semaine religieuse de Cambrai*, 23 avril 1910.

— « Le souvenir de la vie de dom Guéranger, de ses travaux, de ses luttes, de ses grandes vertus, méritait de rester fixé en un ouvrage écrit selon *les exigences de la critique sévère que lui-même avait remise en honneur* dans sa congrégation (!!!) ». *Revue thomiste*, mars-avril 1910.

— « Ces grands savants (les Bénédictins d'autrefois) pour qui la science n'était pas un simple moyen de parvenir, étaient surtout durs à eux-mêmes. Dans notre monde fou de diplômes, de décorations et de basse gloriole, leurs successeurs conservent *la passion de la vérité*. Habiles à trouver des principes justes, ils ignorent le bel art d'en esquiver les conséquences. Ces bons experts avancent *droit devant eux*, en histoire comme en philosophie. Et l'allure n'a point changé le jour où la question traitée est devenue politique. On en peut attester, pour le misérable siècle écoulé, le grand nom de dom Guéranger, auquel un de ses fils, un frère de dom Besse, dom Delatte, vient justement de consacrer *deux volumes d'une substance et d'une force incomparables*. Dom Guéranger fut essentiellement un savant, mais d'une science appliquée à la vie, tendant toujours à la diriger sur des pensées vraies. Si dom Guéranger vivait dans les livres, c'était pour éclairer les gens qui ne lisent point... » *Action française* du 31 mars 1910. Article de Charles Maurras sur *dom Besse*.

— « La même *loyauté historique* a amené l'auteur (dom Delatte) à montrer les pères de l'Eglise catholique libérale *tels que les documents l'attestent* (!), c'est-à-dire passionnés et injustes vis-à-vis d'un ancien ami qui avait eu le tort, selon eux, de préférer la vérité à Platon. » *Chronique de la presse*, publication de *la Croix*, 19 mai 1910.

De toute évidence, la *Chronique de la presse* fait ici allusion à Mgr Bouvier, l'un des pères de l'Eglise catholique libérale, passionné et injuste vis-à-vis de *son ancien ami* ; il eût fallu dire de *son ancien protégé*.

Pardonnez, Seigneur, à ces folliculaires. Ils savent peut-être ce qu'ils font, mais, à coup sûr, ils ne savent pas ce qu'ils disent ! Ils ont une série de formules en réserve : *critique sévère, passion de la vérité, loyauté historique*, etc , etc. Au signal convenu, ils ouvrent leur tiroir et en déversent le contenu sur des auteurs qui, d'occurrence, n'ont pas reculé devant la falsification de documents incommodes ou leur destruction systématique.

L'Ami du clergé (10 mars 1910) avait recommandé la lecture de l'ouvrage Delatte « dans toutes les communautés et les séminaires et, de façon générale, par tous ceux qui éprouvent le besoin de se renouveler dans la pureté de leur sens catholique ». Ce son de cloche fut entendu de côté et d'autre, notamment au séminaire français de Rome et au grand séminaire de Versailles, où le supérieur, M. l'abbé de la Porte, futur évêque du Mans, en imposa l'audition à ses séminaristes au réfectoire.

— M. le chanoine — m'écrivait de Versailles, le 2 juin 1911, l'abbé Alliot, ancien curé de Bièvres, je fais lire votre volume au grand séminaire de Versailles, aux directeurs en particulier, car *l'abbé de la Porte* n'ose pas le faire lire au réfectoire *où on a lu dom Delatte...*

Et le 9 juin de la même année :

— Mon cher chanoine .. De la Porte, le supérieur du grand séminaire d'ici (de Versailles), a empêché un de ses professeurs d'acheter votre volume, c'est moi qui lui ai envoyé mon exemplaire. Je vais demander avant le coucher du soleil à de la Porte s'il l'a lu. Bien vôtre : J.-M. Alliot.

A Versailles, il y eut des protestations au grand séminaire occasionnées par la lecture du livre de dom Delatte. Je tiens le fait de M. de la Porte lui-même, devenu évêque du Mans. On protesta aussi à Rome.

— Monsieur le chanoine - me disait le 8 avril 1910 Mgr Battandier — on lisait cette année au séminaire français de Rome, pendant que j'y étais, *la Vie de dom Guéranger* et j'ai entendu *d'amères critiques contre cette vie*. A mon avis toutes n'étaient point sans fondement...

D'un autre côté, j'eus quelques comptes rendus. De grincheux parurent dans *l'Ami du clergé* (18 mai 1911) et dans le *Bulletin de la Semaine* du 14 juin 1911. Le critique de *l'Ami du clergé* n'avait pas lu la première ligne de mon livre ; il avait utilisé un autre compte rendu ondoyant — comme il en sort de la plume d'un homme peu rassuré — de l'abbé Vacandard, publié dans la *Revue du clergé français*, du 1er mars 1911 (1). Au *Bulletin de la Semaine*, où ma prose n'était jamais arrivée, on se contenta des appréciations suspectes de *l'Ami du clergé* et de la *Revue du clergé français*. La *Revue thomiste*, de Toulouse, m'avait demandé un de mes volumes, afin d'en parler à ses lecteurs. Elle s'y refusa, après lecture, sous prétexte que je n'avais pas l'*Imprimatur*. Elle avait réservé cette faveur à l'ouvrage de dom Delatte, non muni de cette estampille tout comme le mien. On voyait ainsi le bout de l'oreille de ces MM. de Toulouse !

Pour les comptes rendus élogieux, je renvoie aux périodiques suivants : *Revue moderniste internationale*, de Genève (juillet, août et novembre 1910). *Revue de l'Histoire des Religions* (janvier-février 1911) *Journal des Débats* (14 février 1911). *Annales de Philosophie chrétienne* (juin 1911). *Revue d'histoire et de littérature religieuses* (novembre-décembre 1911).

En province, la prudence est la vertu dominante. Si on fait un pas en avant, on le répète en arrière, puis on observe la galerie qui applaudit à votre savoir faire, à votre doigté et au courage que vous montrez en classant les adversaires selon

1 Voir *la Province du Maine*, t. XIX, 1911, p. 248.

leur situation, ou en les mettant dos à dos. Cependant, il faut admirer les velléités d'indépendance quand on les rencontre dans cette mare stagnante que Célestin Port, décédé membre de l'Institut, appelait « *le silence malsain de la province* ». M. l'abbé Paul Calendini, directeur des *Annales fléchoises*, eut la hardiesse de laisser passer dans son périodique (1) un compte rendu de mon ouvrage par mon confrère feu le chanoine Louis Froger. Celui-ci, il est vrai, me marchanda un peu les éloges pour ne pas déroger à son genre ordinairement rébarbatif. Il trouva bon d'avertir le lecteur, en parlant de ma personne, qu'« *on ne cueille pas de figues sur des ronces* » et que mon livre sentait « *la poudre* », etc. Entre confrères, la franchise est de saison. Les compliments qui sortaient toujours difficilement de sa plume avaient généralement la saveur du récipient où cette plume s'était alimentée. Ils sentaient l'encre. Des personnes coutumières de littérature trouvent qu'il jonglait facilement avec les épithètes et qu'il usait trop de réticences : témoin M. L. Fayolle, professeur à Poitiers, qui m'écrivit le 30 mars 1911 :

— Monsieur le chanoine. J'ai lu dans les *Annales fléchoises* le compte rendu de votre *Dom Guéranger* par le chanoine L. Froger. Je ne connais pas l'auteur, ni d'ailleurs personne au Mans. Mais il me semble que ce chanoine n'a pas *un sens exact des choses* : c'est ainsi que je ne puis m'expliquer l'épithète de *gouailleur* qu'il décerne à votre livre. Il me paraît au fond partisan d'une réfutation des deux volumes de dom Delatte. Votre livre a donc dû lui plaire de ce côté. Il devait le dire et *taire ses sentiments vis-à-vis de votre personne* : les figues et les ronces n'auraient pas dû figurer dans l'article...

Apparemment, on devait croire, à l'extérieur, que M. Froger ne me portait pas dans son cœur ! Et cependant il se disait mon ami.

Puisque le nom de M. Fayolle est tombé de ma plume, il n'est pas sans intérêt de faire savoir ce que pensait de lui dom Blulé, moine bénédictin de Solesmes et de Ligugé, passé

(1) Année 1911, n° 60, pp. 131-132 ; n° 61, pp. 194-195.

dans la Congrégation bénédictine anglaise, non sans emporter un très mauvais souvenir de la Congrégation de France (1). Voici ce qu'il écrivit à dom Sauton, de Warwick, Bridge-Carlisle, le 8 octobre 1906 :

— On avait fourré Fayolle au séminaire de Poitiers pour éviter deux ans de service militaire, et les supérieurs (de Ligugé) ne s'en sont plus occupés. Il a mal tourné tout à son aise, lisant Loisy, ayant des relations suspectes, etc., et à la fin il a totalement perdu la foi. Il a défroqué et est maintenant employé dans un greffe de justice de paix ou quelque chose comme cela. Il a entraîné à sa suite le petit Vigneron à qui on avait fait faire ses études à Maredsous et qu'on destinait à Chevetogne ; il est maintenant employé dans un journal anticlérical de Saint-Maixent. Voilà encore une ruine dont l'abbé (de Ligugé) aura à répondre, car vous vous rappelez que Fayolle était un modèle de novice cordial, pieux et attaché avec enthousiasme à sa profession...

La catégorie des âmes simples, de ceux qui ont des oreilles pour ne pas entendre, des yeux pour ne pas voir, une bouche pour balbutier des pauvretés, se montra scandalisée.

J'en eus différents échos, notamment par M. Chautan de Vercly, ancien inspecteur des forêts, habitant au Mans, et par M. l'abbé Olivier de Durfort, protonotaire apostolique, qui devait devenir évêque de Langres, grâce à la protection du cardinal Méry del Val, et ensuite évêque de Poitiers. En mars 1910, M. de Durfort m'adressa une longue missive sur l'inopportunité de ma publication et surtout de citations tirées de saint Bernard.

— Qu'est-il besoin, me disait-il, à notre époque surtout, de rééditer ces pages de saint Bernard signalant les abus, *selon lui* (2), du pape ou

(1) Il écrivait à dom Sauton, le 17 mars 1907 : « L'absence totale de charité fraternelle est l'un des signes distinctifs de la Congrégation (bénédictine) de France. Comme disait dom Andoyer, et c'est vrai : *On y entre sans savoir ce qu'on fait : on y vit sans s'aimer : on y meurt sans être regretté*. Combien de fois à Solesmes ai-je entendu des pères souhaiter la mort prochaine de bons serviteurs du monastère, comme dom Massiou, par exemple, parce que, après une vie de dévouement et d'éminents services rendus, l'âge et la maladie les avaient rendus peu décoratifs ! » Lettre autographe.

(2) Je souligne moi-même ce *selon lui*. N'est-ce pas charmant de voir un prélat s'élever *contre l'autorité de saint Bernard* parce qu'il en est gêné !

le relâchement de certains monastères de son époque ? Ce sont là souvenirs et procédés de polémique qui ne servent pas les intérêts de l'Eglise, mais réjouissent ses ennemis...

L'ancien forestier, lui, n'avait rien vu de répréhensible dans le livre de dom Delatte. Sa lecture l'avait laissé sous l'impression que Mgr Bouvier était dépeint par l'abbé de Solesmes comme « *un saint évêque qui n'avait pas besoin d'être défendu* », et dom Guéranger comme « *un moine ardent, zélé pour les intérêts de l'Eglise* (1) ». L'ombre des grands bois avait probablement troublé la vue de M. de Vercly.

Le vicaire général Kléber, encore doyen d'Ecommoy, comprit mon livre d'une autre manière. Voici comment il s'en exprime dans une lettre qu'il m'adressa le 25 novembre 1910.

— Cher monsieur Ledru et vénéré chanoine. J'ai lu votre livre sur dom Guéranger, je *l'ai même dévoré*. Et en le lisant, sautillait devant mes yeux la figure grimaçante et sceptique du *Diable boiteux*. Et je me disais : *Oui, c'est bien ce diable de chanoine qui se délecte au spectacle des misères et des comédies humaines ! mais qui ne voit pas ce qu'il y a de beau, de généreux dans la vie des grands chrétiens. Tous, Montalembert, Veuillot, Mgr Pie, dom Pitra, reçoivent leur coup de griffe après dom Guéranger, qui, lui, sort des mains du diable, noir des pieds à la tête, sans la moindre tache blanche.*

Dom Delatte, du moins, laisse deviner certains défauts, mais votre manière à vous est radicale : votre héros n'a que des défauts, pas une qualité.

Allons, avouez que vous avez été méchant comme un diable, et qu'une mise à l'*Index* serait la juste récompense d'une critique aussi dure et aussi partiale.

Avec cela *vous êtes tout à fait intéressant, bien documenté*. Certaines déductions me paraissent forcer les textes ; une ou deux expressions fâcheuses blesseront les oreilles chrétiennes et dans l'ensemble votre livre est de nature à rendre sceptique sur les personnes et sur les institutions.

Est-ce un bon livre, est-ce un mauvais livre ? L'un et l'autre, mais plus

(1) Lettre du 28 juillet 1910.

mauvais que bon, et laissez-moi vous le dire : vos amis attendent mieux de votre beau talent et de votre érudition. Donnez-nous une *Histoire de l'église du Mans* (1). Vous savez combien elle nous manque,... et vous répondrez ainsi de la bonne manière à ceux qui vous accusent de mieux savoir détruire que bâtir, ébranler que consolider. En leur fermant la bouche, vous ferez un bien réel. Pardonnez-moi toutes ces réflexions. Je n'ai pour vous les adresser d'autre qualité que d'avoir lu votre livre et de vous conserver une vieille et respectueuse affection. — *J. Kléber*.

Avec ceux qui détestent le mensonge historique et qui croient que la vérité est de toutes saisons, on a d'autres appréciations de mon œuvre. Je présente d'abord le sentiment de l'académicien Mgr Duchesne (2).

— *Saint-Servan, Ille-et-Vilaine, 24 août 1911.* - Monsieur l'abbé. J'ai lu avec beaucoup d'intérêt, vous le croyez aisément, votre livre sur *Mgr Bouvier et dom Guéranger*. J'avais dit que *les Bénédictins de Solesmes n'oseraient pas écrire la vie de leur fondateur*. Ils m'ont donné un démenti. Mais je crois qu'après votre livre ils n'auront pas lieu de s'en féliciter. Vous avez montré qu'ils se sont rendus coupables de suppressions de documents. Ceci, quand même vous n'en auriez pas retrouvé quelques-uns, et de fort topiques, suffirait à qualifier leur entreprise.

Le livre de dom Delatte a fait sur votre serviteur une impression profonde, peut-être salutaire, *en tout cas propre à augmenter encore mon scepticisme en fait d'hagiographie*. Dom Delatte et les siens sont sûrement d'honnêtes gens et d'intentions pures. Cependant, ils falsifient l'histoire pour la plus grande gloire de leur fondateur. A qui se fier, Seigneur !...

(1) J'ai suivi ce conseil et je me suis mis à dos tous les amateurs de légendes.

(2) Dès le commencement de ma publication, M. l'abbé Duine, aumônier du lycée de Rennes, m'avait écrit ces lignes (20 février 1910) : « La lecture du dernier numéro de *la Province du Maine* est un vrai régal — non pas pour dom Delatte. — Décidément vous n'êtes pas un hagiographe de semaine religieuse et vous avez d'autres principes de critique historique que les mots sacrés *Chut* et *Amen*. » — M. le chanoine Mignon, archiprêtre de la Couture, ne fut pas de l'avis de l'abbé Duine. Le 25 juillet 1910, il me fit savoir que, « désapprouvant mes articles sur la vie de dom Guéranger », il cessait son abonnement à *la Province du Maine*.

Donc, merci de nouveau, monsieur l'abbé. Vous avez fait là *une œuvre bien utile*. — Bien cordialement à vous : *L. Duchesne*.

Le P. Lecanuet, l'auteur de l'*Histoire de Montalembert* et de l'*Histoire religieuse de la troisième république*, devait me faire un compte rendu dans les *Annales de philosophie chrétienne*. Ses occupations le forcèrent de passer la plume à un autre (1). Il m'écrivit différentes lettres à ce sujet. En voici des extraits :

— *Paris, 98, rue des Martyrs, 28 février 1911*. — Monsieur le chanoine. Je n'oublie point le compte rendu que je vous ai promis dans les *Annales de philosophie*. J'allais me mettre à l'écrire ; je voulais donc en trois pages dire tout le bien que je pense de votre volume, de son opportunité, etc. Le secrétaire des *Annales* me dit : *Vous ne devriez pas écrire seulement trois pages, mais vingt pages ; le sujet en vaut la peine. On ne saurait trop démasquer ce jeu-là*... Je le reconnais, mais je n'ai vraiment pas le temps d'écrire présentement ce long article. Mon *Histoire religieuse de la troisième république* m'absorbe entièrement. Que faire ?...

Quel dommage que je n'aie pu vous connaître quelques années plus tôt, lorsque j'avais entre les mains la correspondance de dom Guéranger et de Montalembert ! J'ai rendu aux Bénédictins les lettres de dom Guéranger et à M. de Meaux les lettres de Montalembert. Mais j'ai pris copie des principales lettres de dom Guéranger à Montalembert. Elles sont volumineuses et importantes. Très volontiers je vous communiquerai ces copies, si vous le désirez. Vous en tirerez meilleur parti que moi-même, puisque je n'ai pas le temps de m'occuper de ces questions. Je vous demanderai seulement d'en faire bénéficier les *Annales de philosophie*. Quant aux lettres de Montalembert, je ne sais si la famille voudra s'en dessaisir actuellement. Je verrai.

Daignez agréer, monsieur le chanoine, mes sentiments de respectueux dévouement. — *Lecanuet*.

— *Paris, 15 mars 1911*. — Je vous envoie les principales lettres de dom Guéranger à Montalembert. Vous pouvez les garder autant qu'elles vous seront utiles. Le P. Laberthonnière pense qu'il ne serait peut-être

(1) *Annales de philosophie chrétienne*, juin 1911, pp. 301-307.

pas prudent de les publier intégralement. Mais vous pourriez avec ces lettres faire un article intéressant pour les *Annales* en citant les passages les plus importants.

Les directeurs actuels du *Correspondant* sont des poltrons. Ils pensent absolument comme nous sur dom Guéranger, mais ils n'osent le dire. M. de Lanzac de Laborie a écrit une dizaine lignes, pleines de réserves (1). J'ai dit à M. Trojan qu'il valait mieux ne pas les publier. — *Lecanuet.*

— *Paris, 25 juin 1911.* — Je vous envoie le numéro des *Annales* qui contient l'article sur votre livre. Cet article n'est point de moi ; il n'est ni aussi long ni aussi élogieux que je l'eusse souhaité. J'ose espérer pourtant qu'il ne vous sera pas trop désagréable et que vous y verrez la preuve de ma respectueuse sympathie. — *Lecanuet.*

M. l'abbé Boissonnot, chanoine de Tours, ancien secrétaire du cardinal Meignan, fut lyrique. Il m'écrivit :

— *Tours, le 6 décembre 1910.* — Très honoré collègue. Je commencerais par des excuses, si ma négligence était en cause. Mais une fois votre première phrase lue, pouvais-je m'arrêter, même pour vous remercier, avant d'avoir tout dévoré ? Ah ! mon cher confrère, que je suis fier de vous ! La vérité a donc encore ses héros ? Je dirais, *son héros*, si je n'étais en correspondance avec le P. Lecanuet. Et vous avez bien voulu m'associer à cette vigoureuse et splendide chevauchée : merci, merci. Que de fois je me disais, en tournant ces pages généreuses : Oh ! si mon cardinal était là, de quels applaudissements il vous eût remercié, lui qui avait pour votre héros une si grande vénération. Je le fais en son nom.

Je ne vous infligerai point l'injure de vous demander comment les moines de Solesmes ont accueilli votre cher livre : *leurs colères sont aussi peu honorables que leurs compliments.* Ils s'en tireront à leur façon par la perfidie : je souhaite qu'elle soit moins tenace pour vous que celle que me vaut encore mon pauvre livre (2) : *Vermis eorum non moritur.* — *Boissonnot.*

(1) M. de Lanzac de Laborie avait promis un compte rendu assez long dans le *Correspondant.* Mais là, comme ailleurs, on était sous le coup de la terreur.

(2) *Vie du cardinal Meignan.* — Voir *Semaine du Fidèle.* p. 37, p. 16.

Après avoir lu mon livre, M. l'abbé P. Favé, chanoine de Rouen, me déclara qu'il ne prendrait pas connaissance de celui de dom Delatte.

— *Rouen, le 7 octobre 1911.* — Monsieur le chanoine. Vous êtes cause que je manque à la plus chère de mes résolutions. J'ai toujours pratiqué largement le « *audiatur et pars altera* » ; mais, le malheur ayant voulu que je lise votre ouvrage, il m'est maintenant impossible d'acheter les deux volumes du révérendissime.

Le héros n'est pas seulement odieux ; mais il est ridicule. Le Vatican s'est servi de lui et avec succès, c'est bien certain. La *cappa magna*, c'est bien peu en effet, quand on s'est vu si près du chapeau rouge. — Dans les derniers temps, l'influence du « grand moine » à Rome était nulle : la reconnaissance, parait-il, n'est pas en honneur dans ce milieu-là non plus.

Je tiens de source certaine que l'*Univers*, l'année dernière, s'est trouvé « en retour » de cinquante-trois mille francs bien comptés. On fait la quête dans les évêchés.

Quand nos évêques voient leurs prêtres dans la misère, il leur reste encore des fonds, paraît-il, pour subventionner Roger Duguet et consors !

Je vous prie de vouloir bien agréer, monsieur le chanoine, l'hommage de mes sentiments profondément respectueux. — *P. Favé, chanoine de Rouen.*

Quelqu'un qui n'est pas tendre pour les Bénédictins de Solesmes, c'est l'abbé Alliot, ancien curé de Bièvres, où les moines de Solesmes, d'après lui, ont laissé de bien mauvais souvenirs. Ecoutons-le à titre documentaire :

— *Versailles, 26 avril 1911.* — Monsieur le chanoine. Un de mes confrères m'a prêté votre réponse (à dom Delatte) et je vais me mettre à la lire. J'avais été indigné du premier volume de la vie de dom Guéranger dans lequel Mgr Bouvier était traité *de traître, de faussaire et autres aménités :* le second volume est, Dieu merci, conçu en termes plus modérés. J'avais commencé à écrire à dom Delatte pour lui dire qu'il avait une manière fort différente de présenter les faits selon que les gens sont de ses amis ou de ses adversaires.

J'ai été curé de Bièvres pendant dix ans, et là j'ai retrouvé des gens qui n'avaient pas tout à fait oublié l'équipée des Bénédictins. En somme Goussard était un malhonnête homme et un polisson. Pitra et Piolin deux imbéciles dont les actes divers ressemblent fortement à de l'escroquerie, et ils ont si bien travaillé qu'ils ont détruit Bièvres, qu'ils ont en partie détruit cette paroisse ; elle possédait avant eux une maison qui pouvait abriter une famille honnête, capable de fournir un homme fait pour résister à l'émiettement et à la démagogie : aujourd'hui plus rien. Les fragments de lettres publiées par Delatte montrent que Pitra était capable de faire un cardinal ; il était tout à fait incapable de bon sens, de droiture et de respect de sa parole (1). Le naïf Piolin n'était qu'un grand benêt : voilà les grands hommes.

Agréez... *J.-M. Alliot, prêtre, archiviste de l'évêché.*

— *Versailles, le 11 mai 1911.* — Je viens de lire avec le plus vif intérêt et toute l'attention dont je suis capable votre réfutation de dom Delatte. Je vous confesse tout droit que *j'en suis charmé.* — Né dans le diocèse du Mans, puisque celui de Laval n'était pas créé, et sous le pontificat de Mgr Bouvier, j'ai été accoutumé dès l'enfance à entendre parler avec sympathie, respect, voire vénération de ce grand et saint pontife, dont ensuite j'ai étudié la théologie. M. Heurtebize, mon curé (2), qui n'était pas épiscopolatre à l'endroit de Mgr Bouvier, en parlait toujours avec le plus grand respect et la plus sincère admiration... Je suis bien peu de chose, mais je vous félicite et vous remercie en mon nom d'avoir défendu et vengé la mémoire du grand évêque du Mans, qui, sympathique et déjà fort élevé quand on le regarde, grandit et s'élève encore quand on le compare. — On vous accuse d'avoir été *trop sévère* ; grand Dieu ! *mais c'est tout le contraire. Vous ne l'avez pas été assez.*

Est-il scandale plus grand que de voir des religieux, l'abbé en tête, acheter, faire des dettes, sans délibération de conseil, de chapitre ? La règle de Solesmes n'obligeait sans doute ni à l'obéissance, ni à la pauvreté ! Il est bien certain que dans les deux volumes de dom

(1) « Dom Pitra, homme dévoué *mais tête peu solide*. » Lettre de dom Guéranger à Montalembert, du 17 octobre 1845. — « Le cardinal Pitra était un homme d'une grande érudition et d'une *candeur notoire*. » Duchesne, *Discours de réception à l'Académie française*, 27 janvier 1911.

(2) Louis-Pierre Heurtebize, curé de Champgenéteux, au doyenné de Bais (Mayenne) était né au Mans le 22 juin 1796. Curé de Chamgenéteux depuis 1837, il mourut en 1874.

Delatte et dans le vôtre, on s'aperçoit parfaitement que Solesmes n'avait pas le premier principe de la vie monastique et religieuse. L'abbé, pas plus que le simple religieux, n'a le droit d'avoir des dettes, fussent elles pour le bien de la communauté, sans le consentement de celle-ci. Guéranger, qui n'avait ni formation ni soumission à une règle, ignorait l'A B C de sa règle. Delatte n'est pas plus fort que lui, en racontant tranquillement tous les agissements de son abbé, sans se douter que tous ceux qui ont une idée, même incomplète, de la vie religieuse, se feront cette réflexion : mais ces gens ne savaient pas ce qu'ils faisaient, et seront scandalisés.

En lisant le premier volume de Delatte, j'avais été frappé par l'histoire de Bièvres, mais j'ignorais que Me Vaucry avait vendu 300.000 francs sa propriété. Je suis certain qu'on aurait eu de la peine à en trouver 100.000. La maison était presque neuve. Le marquis de Bièvres l'avait pour ainsi dite refaite en 1787, 1788, 1789 ; on y travaillait encore quand le marquis mourut. — Les Paulze d'Ivoi et l'infortuné Lavoisier achevèrent les travaux. Les Bénédictins ont détruit ce domaine qui avait tout au plus 4 ou 5 hectares (1). Lisez les lettres de dom Pitra et de dom Piolin, c'est à mourir de rire : ces gens là étaient tous, fous, archifous. Comment nourrir une communauté avec le parc, qui était alors à peu près totalement improductif ? Goussard était non seulement un dissipateur, mais il était encore un peu polisson : on promenait des dames en voiture ! Telle qui vendait des cigares m'a dit avoir été bien payée, mais on riait des frasques des RR. PP.

Et on dit que Guéranger n'avait pas signé le contrat ? En effet, il est signé Goussard et Pitra. Mais encore une fois, qui était supérieur ? C'est celui-là seul qui est responsable : en religion les autres ne sont que des prête-noms. J'aurais bien d'autres réflexions à faire. Bornons-nous... *J.-M. Alliot.*

— *Versailles, le 17 mai 1911.* — J'ai brûlé, il y a deux mois environ,

(1) D'après les Bénédictins le château de Bièvres avait « un parc immense, des bois, des prairies et des terres labourables, des dépendances en très bon état ». A lui seul, disait dom Pitra, « Bièvres nourrira et paiera et meublera » le prieuré de Paris. On y trouvera le blé, le bois, le poisson, le lait ; la petite rivière se prête à plus d'une industrie facile et en particulier à une papeterie ». Migne pourrait y alimenter son imprimerie. Dom Delatte, *Dom Guéranger*, t. I, page 351.

les 3 à 4.000 lettres que j'avais rassemblées depuis 35 ans. Il y avait 4 à 5 lettres du P. Piolin que j'avais vu plusieurs fois à Paris chez M. Coquereau. Je l'ai regretté puisqu'elles vous auraient intéressé. Vous devinez bien qu'il n'aimait pas trop à parler de Bièvres. D'ailleurs il était moins compromis que dom Pitra : et l'un et l'autre n'étaient que les instruments de dom Guéranger ; toutes les Delatteries du monde n'empêcheront point cela d'être la vérité. Du reste, lisez le récit de Delatte et rapprochez cela de ce qu'est et de ce qu'était Bièvres en 1846, et je vous répète que vous ne pourrez pas vous empêcher de dire avec tous les gens de bon sens : mais ces moines étaient fous, archifous. Je serais bien curieux de voir comment dom Pitra se défendait de cette équipée qui n'était qu'une indélicate folie...

Je sors de chez Champion. Ce qui m'étonne, c'est qu'il arrive à vendre un de vos volumes. On cache votre œuvre dans son enfer : pas un exemplaire ni à sa montre, ni à sa boutique. J'ai demandé le volume, on me regardait comme une bête féroce, ou comme un espion. J'ai demandé à Champion lui-même et à son fils ce que cela signifiait. Pas de réponse. Mais ils sont éditeurs de la *Revue bénédictine !* Ils vous ont pourtant annoncé dans leur dernier catalogue (supplément d'avril). Gardez-moi le silence sur ce petit incident et surtout ne leur dites rien, car le père et le fils devineraient aisément que c'est moi qui vous ai prévenu. Je suis indépendant d'eux, mais il est inutile d'avoir des froissements. D'ailleurs Champion m'a paru très vieilli ; il est presque gaga. — Tout à vous : *J.-M. Alliot.*

Honoré Champion m'avait demandé lui-même à être l'éditeur ou au moins le dépositaire de mon livre à Paris, en m'affirmant, après objections de ma part, qu'il ne redoutait pas de vendre les ouvrages qui traitaient des sujets hardis. Voici ce qu'il m'écrivit dans la circonstance :

— *Paris, 6 juin 1910.* — Mon cher abbé. Votre lettre m'effraie et pique ma curiosité ; j'aime les choses vraies et hardies, vous le savez, et je pense être votre homme. Toutefois, voudriez-vous m'envoyer les bonnes feuilles de votre ouvrage. Après lecture faite, je vous dirai ma décision...

— *Paris, 10 juillet 1910.* — J'ai parcouru avec intérêt les feuilles 6,

7 et 8 (1) que m'a envoyées Goupil de votre *Dom Guéranger*. Vous pouvez donc fort bien y insérer mon nom au titre et couverture comme éditeur dépositaire. Votre travail m'a semblé intéressant par ce que j'ai pu en juger...

Néanmoins, vraisemblablement pour ne pas offusquer les Bénédictins et les « maîtres éminents » de la science historique que j'avais autrefois critiqués, Champion ne se mit pas en frais pour divulguer mon livre. Sur l'avis que j'en eus à la fin de 1910, par M. Albert Houtin (2), je m'en ouvris au libraire, qui me répondit le 11 janvier 1911 :

— Je ne prends pas en considération les propos de votre ami ; il me connaît trop mal pour bien me juger, et, raisonnablement, je ne pouvais guère mettre votre livre en montre avant qu'il eût été annoncé. Il y figurera aussi cette semaine à côté des *Œuvres oratoires* du cardinal Mathieu qui me valent précisément tant d'ennuis de Rome.

Champion vendit une soixantaine d'exemplaires de mon livre, pas davantage. Ce libraire est mort. De son vivant, il eut un pompeux éloge d'un historien de renom, Frantz Funck-Brentano (3).

(1) De la page 73 à la page 120 de mon volume.

(2) *Paris, 28 décembre 1910.* — J'ai eu l'occasion de passer deux samedis de suite devant la maison Champion, depuis ma dernière lettre. Votre livre n'est pas en vitrine et cela ne m'étonne pas. Il est même probable qu'il ne se trouve que dans l'arrière-boutique. Par ailleurs, les *Archives du Cogner* et autres livres inoffensifs ont les honneurs de l'étalage.

(3) Article intitulé : *La pensée du dix-septieme siècle, Guy Patin*, dans *Revue hebdomadaire*, n° du 18 janvier 1908, pp. 369-370.

CHAPITRE III

DOM GUÉPIN, ABBÉ DE SILOS EN ESPAGNE, ENTRE EN LIGNE. IL SE REPLIE EN BON ORDRE DEVANT L'AVIS DE SES CONFRÈRES. — DIFFÉRENTES APPRÉCIATIONS ÉMISES PAR DES BÉNÉDICTINS. — CONSPIRATION DU SILENCE — LETTRES DE MM. PÉCOUL ET A. HOUTIN.

Ainsi qu'on devait s'y attendre, les Bénédictins de la Congrégation de France s'émurent de mon travail sur dom Guéranger et Mgr Bouvier. La correspondance suivante, adressée à mon ami M. Julien Chappée, mettra à nu leur état d'âme :

— ✝ *Pax. Real monasterio de sancto Domingo de Silos per Salas de los Infantes. Provincia de Burgos. - Silos, 3 septembre 1910.* — Mon cher ami. On m'engage à vous demander les articles de *la Province du Maine* de M. l'abbé Ledru sur dom Guéranger. J'aurais le plus grand intérêt à les connaître et vous seul pouvez me les procurer. Ils deviennent, me dit-on, *inquiétants*. Je vous en prie, envoyez-les moi et je vous dirai franchement mon avis... Votre bien affectueusement dévoué : ✝ *fr. A. Guépin, abbé de Silos.*

— ✝ *Pax. Miranda de Ebro, 12 octobre 1910* — Cher ami. J'ai reçu votre bonne lettre du 30 septembre, à Lascano, près de Beasin, chez les bénédictins de Belloc y réfugiés. Je rentre à petites journées et en me reposant sur la route chez des frères et amis. Mes yeux, hélas ! se mettent chaque jour plus complètement en grève et l'oculiste n'a ni opération ni médication pour me soulager. Il espère que, l'âge aidant, je n'aurai pas la visite de la cécité avant celle de la mort... Je rentrerai à Silos le 19 et je tâcherai d'organiser ma vie discrètement et sagement au point de vue de l'application des yeux et de l'étude.

Grâce à l'obligeance d'un moine de Lascano, qui m'a servi de lecteur et de secrétaire, j'ai pris une connaissance exacte et détaillée de deux heures et demie des articles de votre chanoine. J'achèverai facilement à Silos avec mon secrétaire habituel Le curé très intelligent de Capbretron, l'abbé Gabarra, auquel j'ai fait tout lire, m'avait dit en finissant : *il n'y a rien dans tout cela que de la haine (1) ; vous n'avez pas lieu de vous en inquiéter mais surtout de vous en occuper.* Quelle réponse y faire ? Rien ! Vous êtes d'un avis différent. Après lecture, je suis stupéfait qu'un écrivain si redoutable, si passionné, puisant dans les archives de l'Evêché et méditant une exécution, ne puisse écrire que de semblables pauvretés (2) La suite modifiera peut-être mon jugement.

En tout cas, si je suis cette affaire, voici ce que je me propose. Dire tout d'abord qu'on m'a signalé ces articles comme à un homme qui a tout particulièrement connu dom Guéranger. J'ai lu et je parle à ce titre de mon propre mouvement et sous ma responsabilité personnelle sans engager qui que ce soit. Je n'entreprends pas une apologie de dom Delatte ni de son livre, au sujet duquel je l'ai félicité au nom de toute notre Congrégation, sans contresigner pour cela toutes ses paroles et ses appréciations. Je l'ai remercié d'avoir écrit un livre *véridique et sincère*, fortement pensé, remarquablement écrit et faisant ressortir le grand caractère et le rôle de dom Guéranger, de notre ordre dans l'Eglise. Quant aux critiques, ce n'est pas à moi de le défendre et encore moins de le redresser. Il a la science, le talent, l'âge et la dignité. Il trouverait probablement très maladroit que j'entre en campagne ; à lui de se défendre ; il a une plume qui, à l'heure opportune, sera facilement un estoc. Il s'agit de la tirer du fourreau.

Quant au chanoine qui s'est fait dans sa province la réputation d'un

(1) Le cher homme de Capbreton me prenait vraisemblablement pour un Espagnol qui ne distingue pas entre la haine et l'amour de la vérité.

(2) Naturellement dom Guépin perd les yeux et autre chose. Les yeux sont bien voisins du cerveau.

critique sévère et d'un érudit impeccable et dans l'espèce si bien documenté, je ne cherche ni à le corriger ni à rompre des lances avec lui. D'autres s'en chargeront s'ils le croient nécessaire. Je me bornerai pour ma part à établir, au moyen de souvenirs parfaitement nets et précis et de faits indéniables :

1° Que dom Guéranger n'a jamais été injuste ni ingrat envers Mgr Bouvier.

2° Que ces deux hommes, nés pour s'estimer et s'aimer, devaient presque infailliblement se trouver en lutte dans les positions respectives où la Providence les avait placés, parce qu'ils appartenaient à deux écoles alors en lutte. La vieille église gallicane, avec ses préjugés, ses théories fausses et ses étroitesses, était en transformation sous l'impulsion du mouvement ultramontain. Dom Guéranger était suscité par Dieu pour en être un des coryphées, presque le principal. Mgr Bouvier n'était pas un gallican de la vieille roche ; mais il tenait par son éducation, ses habitudes d'esprit et de gouvernement à l'ancienne école. En toute chose, comme en morale, il avait dépassé ses maîtres et ses contemporains, mais en se posant lui-même en deçà de la vérité totale (1). Homme de gouvernement et d'autorité, il ne connaissait pas la loi.

3° Mgr Bouvier, bienfaiteur insigne de Solesmes, est entré en guerre pour un incident insignifiant, dans lequel on ne peut reprocher à dom Guéranger seulement qu'un défaut de forme et encore... (*sic*).

4° Partant de ce fait, Mgr Bouvier ouvre immédiatement une guerre qui devient implacable. Sous prétexte d'empêcher des abus qui n'existaient pas et des entreprises auxquelles on ne pensait pas, il s'arrogea le droit de légiférer et de supprimer pratiquement un acte apostolique.

5° L'attitude et les hésitations de dom Guéranger et de Rome s'expliquent sans peine par les circonstances. Grégoire XVI n'était pas saint Grégoire, ni même Pie IX et Pie X (2). Il avait à compter avec un épiscopat en majorité gallican, avec un gouvernement régulier et gallican lui aussi. En affirmant trop haut les principes, on aurait provoqué une émeute épiscopale et compromis la résurrection des

(1) Vérité totale ! Qu'est-ce que cela signifie ?

(2) Attrape Léon XIII ! Les Bénédictins ultramontains estiment les papes qui leur conviennent.

ordres religieux qui se posaient sur le terrain de la liberté et du droit commun, en dehors du gouvernement, du concordat et des évêques, en tant que le droit de l'Église le permet et le veut.

En un mot, Mgr Bouvier a outrepassé ses pouvoirs, a exigé de dom Guéranger une soumission que celui-ci ne pouvait pas lui accorder sans se sacrifier soi-même et s'en aller et s'associer à une violation ouverte du droit et de l'autorité du Saint-Siège Celui-ci n'a pas sacrifié l'abbé de Solesmes mais ne l'a pas soutenu énergiquement dès le début, parce qu'il était mal informé (1), que la présomption était contre l'abbé de Solesmes, que les circonstances commandaient la réserve et la prudence la plus méticuleuse, si on ne voulait pas compromettre l'avenir et des espérances très importantes, mais pour l'heure, très incertaines (2).

Je vous écris tout cela au courant de la plume. Je ne vois pas ce que j'écris et j'ai essayé en vain de me relire. J'espérais être beaucoup plus précis et plus court. En tout cas, vous voyez quelle est ma pensée. Vous serez bien aimable si vous m'en dites votre avis et l'impression que vous croyez devoir résulter de cette exposition. Je crois pouvoir la faire documentée et convaincante. Nous n'avons pas à jeter de la boue sur la figure respectable de Mgr Bouvier (3), mais il ne faut en faire ni un saint ni un grand homme. Avec des qualités rares, il n'a été ni l'un ni l'autre (4). Savez-vous qu'il a voulu imposer sa loi à son chapitre par un règlement qui commençait ainsi : Article premier. Le Chapitre du Mans *n'est pas un corps*. Les pacifiques chanoines furent contraints d'aller à Rome, et l'évêque eut le dessous (5).

Je tiens de son médecin une jolie anecdote sur les derniers moments du saint vieillard. On le félicitait de mourir à Rome, dans le palais apostolique, au lendemain de la glorification de la Sainte Vierge, après une visite personnelle du pape. *Tout cela est bien, disait-il au prêtre docteur, mais que cela ne vous empêche pas de faire*

(1) Argument renouvelé de tous les dissidents.

(2) Le pauvre dom Guépin ne se comprend plus : il fait le procès de dom Guéranger qui ne voulait pas tenir compte des difficultés du temps.

(3) Dom Delatte lui a peut-être jeté de l'eau bénite !

(4) On se demande ce que dom Guépin entend par un saint et un grand homme, quand on n'est pas en face d'un bénédictin ?

(5) Voilà encore de l'histoire falsifiée. Je l'ai racontée.

tout ce que vous pourrez pour me tirer de là. Bonhomie et trivialité du paysan manceau ! Dom Guéranger était et avait visé toute sa vie plus haut.

Il faut être bénédictin pour voir dans cette réponse une *trivialité*. Tout le monde en aurait dit autant, même dom Guéranger qui tenait à la vie ainsi que le reste des mortels. Celui-ci disait qu'il ne voulait pas quitter ce monde avant d'avoir écrit la vie de saint Benoît. Il espérait que Dieu attendrait l'éclosion de son chef-d'œuvre. Mais, comme le père abbé reculait toujours son travail, le Très-Haut l'en dispensa en le rappelant à Lui.

Une chose est encore à noter et à vérifier, écrit dom Guépin en terminant son bafouillage :

La *Theologia Cenomanensis* léguée par Mgr Bouvier à son séminaire est encore réimprimée et vendue. Mais ce n'est plus celle de Mgr Bouvier semi gallican et semi probabilioriste ou quelque chose de semblable. Elle a été non seulement retouchée en maints endroits, mais complètement refaite en plusieurs traités, par les professeurs du temps de Mgr Fillion, vers 1860 : M. Chanson, si je ne me trompe, et un autre professeur mort curé de Saint-Calais (1).

Mais il faut finir. Répondez-moi à Silos, j'en ai besoin pour ma direction. Je voudrais être très précis et très court... Votre tout dévoué en N.-S. — *Ildefonse, abad de Silos.*

Ildefonse, abad de Silos, ne tarda pas à récidiver par cette nouvelle missive à M. J. Chappée :

J'ai été les jours derniers très occupé de Mgr Bouvier et de M. Ledru. Les articles de celui-ci ne portent pas et donnent une très pauvre idée de son jugement et de son talent d'historien. *Le style est plutôt bon*, mais les pensées et les raisonnements ne le sont pas et la réponse est facile. Le suivre pas à pas serait peine inutile ; il ne mérite pas tant d'efforts, mais, par malheur, il oblige son lecteur à examiner Mgr Bouvier. Il veut en faire un grand homme (2) et il n'y a pas

(1) Le bonhomme revient de la lune. Tout le monde sait cela et je l'ai dit dans mon livre. C'est d'ailleurs sans importance dans la question.

(2) J'ai voulu en faire un honnête homme, ce qui est le commencement d'un grand homme.

matière. Tout homme de bon sens ayant un peu de théologie et de connaissance des matières ecclésiastiques est obligé de dire que ce digne prélat, théologien médiocre, n'avait pas et ne pouvait pas avoir la notion exacte de l'Eglise et du droit canonique. Il voulait tout régler dans son diocèse, même ce qui échappait de droit à son autorité. Il est impossible de le laver du triple péché de susceptibilité outrée, d'usurpation de pouvoir et d'obstination. C'est vraiment grand dommage de nous obliger à relever les fautes d'un homme qui fut notre bienfaiteur. C'est surtout lamentable qu'un prêtre provoque un grand étalage de misères ecclésiastiques dans un temps comme celui-ci. Dom Delatte peut être pris en faute sur un détail insignifiant ; il a peut-être laissé ici et là sa plume courir avec trop de liberté ; il faudrait que des personnes autorisées le lui disent avec sincérité et respect ; il n'y a rien à changer ni dans la trame ni aux jugements de son livre qui restera, tandis que les travaux de M. Ledru seront certainement oubliés. On peut dire d'avance que son gros livre sera une de ces salves d'artillerie mal pointée qui font beaucoup de bruit, mais passent par-dessus la tête de l'adversaire. Tout cela est lamentable pour la mémoire de Mgr Bouvier et pour le clergé manceau J'ai été sur le point d'en écrire à M. le doyen Chanson, dont je sais la dignité et le talent (1).

Au revoir, cher ami, croyez à mon cordial dévouement — *Il (defonse) abad de Silos.* Prière de m'envoyer les nouveaux articles. Hommage à Mg Chappée.

Ma salve d'artillerie, mal pointée, avait cependant sensiblement touché l'*abad* de Silos, qui écrivit de nouveau à M. J. Chappée :

Silos, le 30 novembre 1910. — Cher ami. Le volume promis et annoncé par une carte postale n'est pas encore arrivé à mon grand regret. *Je suis presque exclusivement occupé ces jours à parler articles Ledru* et le livre est impatiemment attendu par mon secrétaire qui a étudié très soigneusement ces articles sans passion aucune et sans parti pris guérangérien. L'étude n'est pas favorable à l'auteur. Le parti

(1) Il eût été bien reçu. M. Léon Chanson, doyen du chapitre du Mans, m'encourageait et me donnait des renseignements.

pris et la haine (1) lui ont troublé le sens, et il ne paraît pas comprendre les propres documents qu'il cite. Il n'y a dans ses articles ni ordre, ni méthode, rien de sérieux. Le curé de Capbreton, très indépendant dans la question, avait bien raison de me dire *« ce n'est rien du tout et cela ne mérite aucune réponse. » Tel n'est pas, je crois, l'avis des nôtres et je crois qu'à Chevetogne (Ligugé) on est très ému de ce fâcheux incident.*

Dom Delatte fera bien de rectifier quelques tout petits détails et de *reviser soigneusement son livre dans lequel il a parfois laisser trop courir sa plume* : mais son livre est vrai, sérieux et restera (2). Quant à Mgr Bouvier, il ne l'a peut-être pas suffisamment compris et n'ayant pas entendu dom Guéranger, il a cru que le prélat était un gallican de vieille roche, ce qui n'était pas. Mgr Bouvier disait parfois de lui-même « qu'il était un pauvre évêque de Juillet » Il voulait être un homme juste milieu entre les gallicans et les ultramontains et le mouvement des idées et de la vérité le jetèrent au-delà de ses limites. Il voulut les garder et les défendre ; de là usurpation de pouvoirs, obstination et pour lui désagréments de toute sorte. Honnête homme, bon prêtre, mais sans éducation première et sans élévation, il fut entraîné à faire des choses répréhensibles. Le chanoine aura beau faire, il n'en fera jamais un grand homme ni un saint, et quoiqu'il fasse dom Guéranger restera l'un et l'autre (3).

J'avais déjà dicté quelques pages, *qu'on a jugées à Chevetogne inopportunes.* Je les garderai pour moi. Pour les mettre au point, il me faudrait d'ailleurs le texte de la fameuse ordonnance que dom Delatte a eu le tort de ne pas citer. Avec mes mauvais yeux je suis du reste un impuissant. — *L'abbé de Silos.*

— *Silos, le 18 décembre 1910.* — Le livre arrive aujourd'hui... Je vous écrirai quand j'aurai pu *me faire une idée juste et réfléchie sur le volume.* De Solesmes, on n'y répondra que par le silence. *C'est aussi l'avis de Ligugé où vous savez qu'on sait ce que l on dit et ce que l'on fait.* — *L'abbé de Silos.*

(1) Toujours la haine. Ces moines s'y connaissent en haine et en amour fraternel. Voir page 30.

(2) Oui, comme un monument de pieux mensonge.

(3) Touchante illusion !

— Je ne sais jusqu'à quel point — m'écrivait de Draveil, le 5 octobre 1910, M. Pécoul — l'admiration de dom Guépin pour l'œuvre attribuée à dom Delatte est sincère ; je suis porté à croire qu'il y a pour lui une question de principe : il ne voudra jamais convenir qu'un livre en l'honneur de dom Guéranger puisse laisser à désirer. Ce sentiment est respectable *dans une certaine mesure*...

Ne pouvant rien contre moi et ne voulant pas néanmoins abandonner complètement son héros, dom Guépin publia en **1911** un petit volume de 86 pages, intitulé : *Dom Guéranger et madame Durand. Souvenirs monastiques d'après la correspondance de l'abbé de Solesmes* (1).

J'en recommande la lecture attentive C'est une pierre, et une grosse, qu'il lance sans avoir l'air de s'en douter dans le jardin du grand abbé, qui fréquentait trop madame Durand, avec « Notre-Seigneur en tiers », et qui finit par ruiner le mari de madame, M. Durand, riche négociant, quincaillier de Marseille.

– Dom Guépin m'écrivit le 24 décembre 1911 M. Pécoul — ne s'est pas rendu compte de l'effet que produiraient ces lettres de spiritualité, *remplies de demandes d'argent*. Une telle publication est un nouveau désastre pour la mémoire de dom Guéranger.

Si je pouvais éprouver un remords d'avoir écrit contre dom Guéranger, ce serait à l'aspect de ce naïf abbé de Silos, quasi aveugle, qui veut encore brandir sa vieille épée ébréchée en faveur de son idole. Il s'agite dans des radotages, dans un fatras d'arguments contradictoires, imprécis et toujours à côté. Pour s'attaquer à Mgr Bouvier sans pouvoir laver son maître, il ne sort pas du gallicanisme, de l'ultramontanisme, tandis qu'il s'agit de tout autre chose. Il s'exténue à vouloir prouver à son correspondant, homme du monde, étranger aux chicanes théologiques, que mon livre sur lequel il n'a pu encore « *se faire une idée juste et réfléchie* » ne tient pas debout. Heureusement pour lui que ses confrères

(1) Paris, librairie H. Oudin, 1911.

de Ligugé, de ce Ligugé « *où l'on sait ce que l'on dit et ce que l'on fait* » — lesquels ne partageaient pas sa manière d'apprécier les choses et n'avaient qu'une confiance limitée dans le fameux Gabarra, curé du Capbreton — le prièrent de rentrer son arme et de refréner ses dernières ardeurs belliqueuses. Pour ceux-ci, le meilleur moyen de tuer ma réplique était de faire le silence dans la presse, quitte à m'attaquer de vive voix comme dom Pierdait (1), prieur de Silos, qui s'en allait répétant que mon livre, *fort mal écrit*, ne signifiait rien.

Dom Pierdait, prieur de Silos — écrivait M. l'abbé Charrier (2), du diocèse de Nevers, à M. Houtin, le 28 décembre 1910 — est passé à Nevers il n'y a pas bien longtemps ; dans notre conversation, il a été question du livre de dom Delatte. A cette occasion, il m'a parlé vaguement d'une certaine réponse faite par un chanoine du Mans se référant, m'a t-il dit, à la question des *pontificalia*, laquelle fait l'objet d'un chapitre du livre de dom Delatte. D'après lui, le livre du chanoine est *fort mal écrit*, ce qui lui enlève toute valeur. Toutefois, il n'a pu s'empêcher de dire qu'il aurait aimé que l'auteur de dom Guéranger passât sous silence les démêlés de l'abbé de Solesmes avec l'évêque du Mans. *J'ai vu que le livre du chanoine et son intervention les ennuyait fort...*

M Charrier était, on le voit, bien renseigné. La question des *pontificalia* occupe une vingtaine de pages sur les 364 de mon ouvrage. Quant au *livre du chanoine fort mal écrit*, suivant le prieur de Silos, il avait été jugé *d'un style plutôt bon* par l'abbé du même monastère, dom Guépin. Les Bénédictins qui se mêlent de juger devraient tout d'abord se mettre d'accord.

Néanmoins, certains moines laissèrent échapper leurs sentiments. Un d'entr'eux dom X, fut du nombre. Il s'en exprima ainsi à M. Chappée :

(1) Dom Jean-Louis Pierdait, né le 27 janvier 1857, à Alluy, diocèse de Nevers, profès à Solesmes le 29 avril 1879.

(2) L'abbé Charrier, auteur de plusieurs ouvrages estimés, fut postulant à Solesmes dans le même temps que M. Houtin.

— *Saragosse. Espagne, 56, rue Saint-Michel, 27 décembre 1910.* — Le livre de M. Ledru est *terriblement intéressant ; on ne le mettra pas entre les mains des novices.* A mon avis, les documents cités auraient gagné en force s'ils avaient été exposés avec moins de passion. Je serais curieux de savoir si l'ouvrage a fait quelque bruit dans la presse.

Le destinataire de ces lignes, M. Julien Chappée, m'adressa le 11 février 1911 ces quelques mots :

— Cher monsieur. Je suis informé qu'un moine bénédictin a déclaré *votre livre très juste et très exact.* Je vous dirai son nom de vive voix (1). Je ne pourrai vous montrer la lettre où on le dit.

Le 15 avril 1925, un dignitaire de l'Ordre s'exprimait ainsi dans une lettre au même M. Chappée :

— J'ai pu trouver (à Ligugé) le livre du chanoine Ledru, votre ami, *Dom Guéranger et Mgr Bouvier*, que je n'avais point encore lu. Je n'ai fait que parcourir quelques pages, mais j'avoue que j'ai été bien douloureusement impressionné par des documents incontestablement authentiques que j'ignorais totalement et qui éclairent certains faits et certains débats d'une lumière qu'on aurait préféré moins... vive. — Cela prouve qu'on a toujours tort, dans certains cas surtout, de *triompher* d'une manière trop bruyante et de juger trop sévèrement ses adversaires. On court le risque de s'attirer des répliques souvent fort pénibles. C'est le cas de dom Delatte...

M. Pécoul, dont j'ai déjà cité des lettres, continua sa correspondance avec moi pour me répéter que j'avais raison.

— *Draveil, le 20 décembre 1910.* — M. le chanoine. Les intéressés ont-ils votre livre ou seulement votre premier jet ? On peut ne pas s'occuper d'articles publiés dans une revue locale, mais ne pas répondre à un volume qui a un dépôt à Paris est avouer qu'on est dans l'impossibilité de le réfuter. Puis ils s'exposent à une réplique qui pourrait être foudroyante... Avant d'avoir eu connaissance de vos articles, je déplorais la publication attribuée à dom Delatte ; j'y trouvais un dom Guéranger diminué.

(1) C'était dom Lenoble.

On ne pourra plus écrire sur dom Guéranger sans consulter votre livre.

Je ne partage pas votre manière de voir sur toutes les questions (1), mais, en ce qui concerne Mgr Bouvier, je dois reconnaître que vous avez pleinement raison. Mgr Bouvier fut *un évêque*. Il y a malheureusement bien d'autres pages où vous êtes dans le vrai.

L'affaire du cardinal (Pitra) est un peu longue à conter. Le tort du cardinal (disgracié par le pape) a été de ne pas avoir fait comme le cardinal Oreglia menacé par Léon XIII (2). S'il eût montré les dents, Léon XIII eût courbé la tête. J'étais au loin et ignorais l'affaire ; autrement, j'aurais pris le train et j'étais en position *de menacer Léon XIII de certaines révélations. Un de ses anciens complices, qui détenait une correspondance compromettante datée de Pérouse*, m'y eût aidé. Ce que le cardinal Pitra a dit dans sa lettre est rigoureusement exact...

— *Draveil, le 26 décembre 1910.* — Je viens de parcourir votre volume et d'annoter nombre de pages. Je comprends qu'on ait dissuadé dom Guépin de vous répondre ; vous étiez à même de lui donner une réplique écrasante. Après de multiples lectures de votre ouvrage, je déplore la vie attribuée à dom Delatte plus que je ne l'ai fait quand j'ai pris connaissance des deux gros volumes. Depuis le pavé de l'ours de la fable, on n'avait jamais rien fait de pareil. J'ai toujours eu une haute conception de dom Guéranger, tout en connaissant ses faiblesses et en ne l'excusant pas de sa conduite à l'égard du cardinal Pitra qui a été indigne. J'aurais préféré qu'on ne mît pas le public dans la confidence des faits qui auraient été oubliés avant un demi-siècle. Maintenant, ils sont enregistrés *ad perpetuam rei memoriam*.

J'ajoute : et cela est heureux. La théorie de cachotteries en

(1) M. Pécoul était très ultramontain, très coiffé des théories de l'abbé de Solesmes.

(2) Le cardinal Luigi Oreglia di San Stefano, doyen du Sacré Collège, camerlingue de la sainte Eglise, né en 1828, mort en 1913, était un fidèle lecteur du journal *L'Univers* qu'il défendit soit sous Pie IX, soit sous Léon XIII. Ses idées intransigeantes le mirent en opposition avec le successeur de Pie IX. Il protégea Merry del Val et fut un des grands électeurs de Pie X. Voir Battandier, *Annuaire pontifical* pour 1915, p. 844.

histoire est immorale, puisqu'elle offense la vérité. Je continue avec M. Pécoul :

— *Ouchy-Lausanne, le 14 mars 1911*... Les intéressés doivent agir par tous les moyens qu'ils ont à leur disposition, sans oublier d'user de l'argument irrésistible *(l'Index)* pour empêcher la diffusion de votre livre...

— *Paris, le 3 mai 1911*... A ma grande surprise la *Revue bénédictine* de Maredsous (Paris, Champion), du mois d'avril (1), donne un compte rendu de votre livre. Cet article, tout en vous reprochant une certaine *animosité*, reconnaît que vous êtes *terriblement documenté*. Mon impression est que l'auteur anonyme pense un peu comme vous et, sans avoir l'air d'y toucher, il glisse en passant quelques traits à l'adresse de dom Guéranger et de dom Delatte (2).

— *Paris, le 6 mai 1911*.. Les intéressés ont mobilisé toute une police et ils sont au courant de tout ce que fait chacun. Il paraît qu'ils n'essayeront pas de répondre espérant que leur silence suffira à mettre à néant les attaques dont ils sont l'objet. Ils sont ennuyés de voir dom Guéranger descendu de son piédestal mais encore plus contrariés d'être mis en cause par des allusions et des faits. L'article (de *la Revue bénédictine*) que je vous ai signalé est le pavé de l'ours sur le nez des néo-Solesmiens. C'est tout l'Ordre, tous ceux qui lisent cette savante revue qui connaissent maintenant votre livre. Pour moi — je puis me tromper — l'auteur l'a écrit avec une intention malicieusement bien arrêtée. A sa lecture, vous aurez, je crois, la même impression. .

Le témoignage de M. Albert Houtin, ancien postulant à Solesmes, et auteur d'une excellente *Vie de dom Couturier*, doit aussi prendre place ici. Voici des extraits de ses lettres :

— *Paris, 21 juin 1910*. — Votre livre (3) devient de plus en plus intéressant. C'est bien l'un des meilleurs que je connaisse pour expli-

(1) *Revue bénédictine*. Paris, Champion. Fribourg, E.-B. Herder, n° du 2 avril 1911, pp. 334-335. — Maredsous en Belgique est une fondation de la congrégation allemande de Beuron, instituée par les deux frères Wolter.

(2) Voir *la Province du Maine*, t. XIX. 1911, pp. 246-247.

(3) Je lui adressais les épreuves au fur et à mesure.

quer ce qui se passe derrière les saintes murailles des monastères et faire comprendre — en montrant combien elle était minée par les dissensions — comment la pauvre église de France s'est écroulée à la fin du XIXe siècle...

— *Paris, 9 août 1910.* — Votre livre est devenu *singulièrement grave*. Au commencement, je croyais que ce serait simplement une solide critique de dom Delatte, mais il est devenu l'écrasement de dom Guéranger. L'esprit de corps bénédictin cherchera à vous jouer un mauvais tour...

— *Paris, 23 août 1910.* — Il est bien certain que vous avez mis en pièces une des idoles de l'ultramontanisme. Cela mérite châtiment et il pourrait se faire que vous fussiez dénoncé à l'*Index* sans les Bénédictins et peut-être même malgré eux. Dom Delatte et la première abbesse (de Sainte-Cécile) ont beaucoup cultivé l'amitié de Mgr Gilbert, qui, d'ailleurs, leur a rendu de grands services. Je crois ce prélat trop droit (1) pour entrer dans une controverse historique en décidant contre les documents. Mais la lecture de vos articles a dû lui être une désillusion pénible. — Dom Delatte est consulteur de l'*Index*, privilège accordé à tous les abbés de Solesmes à perpétuité (2). Il peut difficilement prendre l'initiative d'une dénonciation contre vous, mais s'il veut vous faire condamner, il peut facilement trouver un collègue d'un autre ordre pour lui rendre le service de vous déférer à ce S. Tribunal. D'autre part, il peut faire valoir les inconvénients d'une condamnation, si elle ne lui agrée pas.

— *Paris, 1er septembre 1910.* — Si, après avoir lu les articles parus dans *la Province*, dom Delatte croyait que seul l'*Index* pourrait le venger, que dira-t-il après avoir lu tout le livre ? Il réclamera l'excommunication ! Vos épreuves d'aujourd'hui me semblent plus terribles encore que les précédentes. C'est la démolition de Solesmes.

(1) Mgr Gilbert était la droiture même.

(2) Erreur. — Voici ce que m'écrivait Mgr Battandier, le 6 juillet 1917 : « Je suis bien en retard avec vous. Veuillez m'excuser. Le pape Pie IX voulait donner à la Congrégation de France, en l'honneur de dom Guéranger, un poste de consulteur aux Rites. Les bénédictins de Saint-Paul l'ont fait attribuer au Mont-Cassin. Dom Guéranger a été nommé *consulteur de l'Index*, mais à titre personnel, par conséquent non transmissible à son successeur sur le siège abbatial de Solesmes. » Autographe.

Je vous avoue que, connaissant dom Delatte, je crois qu'il vous fera mettre à l'*Index*, autant qu'il le pourra, non peut-être à Rome, du moins pratiquement au Mans et dans les bonnes revues et journaux bien pensants de France et de Navarre. Heureusement vous êtes indépendant...

— *Paris, 11 mai 1911*... Si, comme vous l'a écrit M. Pécoul, vous avez un compte rendu vraiment *honnête* dans *la Revue de Maredsous*, c'est une grande victoire pour vous. Cette revue est lue dans tous les monastères de l'Ordre. Là où la volonté du supérieur aurait caché l'existence de ce livre, on ne pourra plus l'ignorer. Par ailleurs, beaucoup de revues d'érudition religieuse pourront prendre la note pour parler du sujet. La revue est l'organe du primat, et je ne pense pas que sur une affaire aussi délicate on ait rien imprimé sans le lui soumettre au préalable...

Le primat était alors dom Hildebrand de Hemptinne, ancien abbé de Maredsous, primat de tout l'ordre bénédictin, mort le 13 août 1913, et qui eut pour successeur dom Fidèle de Stotzingen, né le 1er mai 1871, à Baden (1).

M. Pécoul me disait à son sujet, le 12 février 1911 :

— Le primat dom de Hemptinne est rentré à Rome. Il est probable qu'il travaillera en faveur des néo-Solesmiens pour faire condamner votre livre. C'est un compère du cardinal Rampolla. Sa sœur est professe de Sainte-Cécile.

Le châtelain de Villiers se trompait sur le compte de dom de Hemptinne, qui n'avait qu'une estime limitée pour dom Delatte. J'en ai des preuves.

(1) Mgr Albert Battandier, *Annuaire pontifical catholique* pour 1915, p. 536.

CHAPITRE IV

M. JACQUES LE CLERC DE JUIGNÉ S'INSURGE CONTRE MON OUVRAGE. — VISITE A SOLESMES. — CORRESPONDANCE A CE SUJET. — LES LE CLERC DE JUIGNÉ PROTESTANTS. — LEUR CONVERSION LORS DE LA RÉVOCATION DE L'EDIT DE NANTES PAR LOUIS XIV. — LETTRE DE L'ABBÉ E SEVRIN. — CONCLUSION.

Mon livre ne fut pas mis à l'index par Rome. L'indignation des néo-Solesmiens prit une autre tournure. On organisa une campagne de dénigrement. Les moines, par la plume de leur abbé, avaient pu insulter Mgr Bouvier, Mgr Affre, tué aux barricades à Paris, et d'autres évêques de France. Personne n'était admis à relever le gant. Les défenseurs du trône et de l'autel en particulier, dont on connaît la vie pure et mortifiée, oublièrent pour un instant leurs meutes, leurs chevaux et leurs maîtresses (1), afin de me pourfendre. Ceux des environs de Sablé, même et surtout d'anciens amis, ne furent pas les derniers à m'attaquer, non avec la plume, mais avec la langue. Médisances, calomnies, furent leurs armes de combat; ils n'en avaient pas d'autres.

Je ne retiens ici que le cas du marquis de Juigné, acquéreur de l'abbaye de Solesmes après le départ des moines. Sa

1. Entendons-nous bien. Je ne fais ici aucune personnalité. D'ailleurs il n'y a point de règle si générale qui n'ait son exception.

mère, une Talhouët, du Lude, refusa en 1911 l'entrée de l'abbaye à des personnes du château des Perrais que j'avais pilotées jusqu'à l'entrée du moutier. Elle croyait, mais bien à tort, que je réclamais pour moi la faveur de visiter l'immeuble dont elle détenait les clefs. Son fils, le marquis de Juigné, député de la Loire-Inférieure, mis au courant de cet incident, m'écrivit alors :

— *Chambre des députés* (1), *le 3 août 1911*. — Monsieur l'abbé. J'apprends que vous étiez l'autre jour parmi les personnes accompagnant le régisseur de M. le marquis de Broc qui demanda l'autorisation de visiter l'abbaye de Solesmes. Votre présence fut la cause du refus que ma mère opposa à cette demande. Présent, j'aurais agi comme elle et je l'approuve pleinement. Je délivre parfois des autorisations pour visiter l'abbaye à des voyageurs et les personnes les accompagnant. Je tiens à ce que vous sachiez que vous ne devez jamais vous considérer comme compris parmi ces derniers.

Les attaques que vous avez dirigées contre les Bénédictins que j'aime, j'estime et respecte profondément m'obligent à vous interdire l'accès de mes propriétés quelles qu'elles soient, Solesmes ou autres.

Je juge vos écrits sur ce que je connais, et la preuve de l'inexactitude de ce que vous avancez sur ce que j'ai eu sous les yeux me laisse sceptique pour le reste de vos assertions.

Je regrette que vous m'ayez donné l'occasion de vous écrire ceci et je vous prie de recevoir l'assurance de *la considération que j'ai pour votre caractère sacerdotal* — *Le marquis de Juigné* (2).

Je ne m'étais plaint à personne, néanmoins le noble et puissant seigneur, confident des rancunes bénédictines, avait trouvé bon de me provoquer et même de *m'insulter* en m'insinuant *qu'il me considérait comme un malhonnête homme*. Je lui répondis :

(1) Ainsi que les socialistes, les communistes et autres farceurs politiques, M. de Juigné ne dédaigne pas les petits profits (papier à lettres, etc.), que lui procure son métier de député.

(2) Jacques Le Clerc, marquis de Juigné, né en 1874, marié en 1901 à Marie-Madeleine Schneider. La bénédiction nuptiale leur fut donnée, le 10 décembre, dans l'église Saint-Philippe du Roule, à Paris, par le Rme dom Delatte, abbé de Solesmes.

— *Le Mans, 4 août 1911.* — Monsieur le député. Je ne tiens pas à visiter l'abbaye de Solesmes que je connais depuis longtemps. Seules les autres personnes désiraient la voir. Pour moi, je comptais rester sur le seuil de la clôture.

Ceci dit, monsieur le député, je vous fais grâce de vos réflexions sur les Bénédictins que vous aimez. Ce que j'ai écrit sur Solesmes, je l'écrirais encore. Bien plus, je continuerai peut-être, le cas échéant. Je n'ai commis aucune inexactitude à leur endroit et j'attends *celui* qui me convaincra d'erreur.

Je ne suis d'aucune coterie et j'aime *avant tout la vérité*. Je l'aime dans mes amis comme dans mes ennemis. Dom Delatte a attaqué grossièrement et injustement Mgr Bouvier, évêque du Mans, je lui ai répondu et je lui ai prouvé qu'il avait menti. La mémoire des évêques morts est aussi précieuse que la réputation des religieux vivants vos amis.

Vous avez peut-être de la considération *pour mon caractère sacerdotal; moi, j'en ai pour les honnêtes gens, fussent-ils du peuple ou protestants comme les Le Clerc de Juigné d'autrefois.* Croyez, monsieur le député, aux sentiments que je vous dois : — *A. Ledru.*

Le lendemain, 5 août, j'écrivais à la marquise douairière de Juigné, née Talhouët :

— *La Chevalerie, à Parigné-le-Pôlin.* (1). — Madame la marquise. Une lettre que je reçois de M. le marquis de Juigné, au sujet d'un refus de visite à l'abbaye de Solesmes, me donne l'occasion de vous écrire ces quelques mots :

La carte que vous avez vue demandait l'entrée de l'abbaye pour certaines personnes des Perrais. Le domestique qui m'a désigné n'était nullement autorisé à le faire, car je n'avais pas l'intention de visiter des bâtiments que je connais déjà. Je m'étais seulement chargé de piloter l'auto des Perrais à Solesmes.

Votre fils a cru devoir me morigener à ce propos. Je n'accepte pas ses leçons. Si j'ai composé un livre contre celui de dom Delatte, c'était pour défendre la mémoire d'un évêque du Mans, injustement attaqué par un religieux qui aurait dû se souvenir de ses bienfaits. Quand

1 Propriété du marquis de Broc.

j'écris, je prends surtout conseil de ma conscience. L'opinion des autres ne me laisse pas indifférent, mais à la condition de venir de personnages mûrs et compétents. Je ne sache pas que M. le marquis soit de ce nombre.

Il peut m'interdire l'entrée de ses propriétés si bon lui semble. Je n'ai nulle envie d'envahir ses domaines. La France est assez grande pour qu'on puisse se promener en dehors de chez lui. D'ailleurs, je connais Juigné, où j'ai eu l'honneur de déjeuner après sa naissance, chez le regretté marquis de Juigné, son grand-père, dans un moment où celui-ci me demandait un travail historique sur une question qui l'intéressait... — *A. Ledru.*

Par lettre du 7 août 1911, la marquise douairière de Juigné essaya de me prouver que son fils, âgé de plus de quarante ans, était un homme d'une grande maturité. Celui-ci, pour confirmer la thèse de sa mère, m'adressa, le 10 août suivant, une nouvelle et longue lettre afin de m'affirmer derechef que j'avais calomnié, même « *sans apparence de courage* », les Bénédictins en parlant du confort qu'on trouvait dans leur monastère, et qu'ainsi je me faisais le complice du liquidateur Ménage et de son concierge. De plus, il m'annonçait que plus tard, quand il serait « assez documenté », il discuterait « la partie historique » de mon livre, lequel s'appuyait sur « des déclarations de Bénédictins, qui, ayant quitté leur « ordre », avaient « conservé un ressentiment et même une haine très explicable, sans doute, mais qui rendait leurs témoignages bien sujets à caution ».

Puis il terminait sa missive par ces lignes :

... Vous avez parlé des membres de ma famille qui étaient protestants. Je n'ai jamais nié le fait. Bien plus, j'ai toujours indiqué aux personnes s'intéressant au passé le lieu dit la Huguenoterie où sont enterrés ceux des miens qui ont eu le malheur de vivre dans l'erreur. Mais, pour la plupart, ils se sont souvenus que *Errare humanum est, perseverare diabolicum*. Voilà une vieille vérité à méditer... Recevez, M. l'abbé, mes salutations — *Marquis de Juigné.*

Je répliquai le même jour poste pour poste :

— *La Chevalerie, à Parigné-le-Pôlin, 10 août 1911.* — Monsieur le marquis. Je ne connais pas le liquidateur Ménage ; je ne l'ai jamais vu ; je ne lui ai jamais parlé ; je ne lui ai jamais écrit ; il ne m'a donné aucun renseignement. *J'ai vu Solesmes et son confort et j'en ai entendu parler.* Critique à part, dom Delatte aime le faste. Tout le monde le sait. Mais laissons cette question qui, après tout, est secondaire. Elle n'a été abordée que pour bien faire ressortir certaines contradictions de son livre.

Quant au fait capital, à ma réponse au livre du P. abbé, je tiens absolument à en préciser le sens et la portée. Du fond de son exil, dom Delatte s'est permis, *le premier*, d'attaquer *injustement* et *violemment* des évêques très respectables. Vous pouvez lire à ce sujet les *fourberies* de Mgr Bouvier et la *charge* contre Mgr Affre, tué aux barricades. Je pourrais encore ajouter les récriminations contre Mgr Fayet, évêque d'Orléans, etc., etc.

De l'aveu de beaucoup de gens compétents, l'ouvrage du père abbé est à rectifier d'un bout à l'autre. C'est un livre tendancieux qui appelle des réponses pour mettre les choses au point.

Certes mon livre est virulent, je le reconnais, mais à part quelques erreurs de détail — impossibles à éviter — il est absolument véridique. *Je ne demande qu'une chose, le voir attaqué.* J'aurais alors l'occasion de préciser et de prouver à nouveau.

Mgr l'évêque de Laval m'écrivait au commencement de l'année que j'avais la critique acerbe, mais que *l'ouvrage de dom Delatte n'était pas aussi équitable qu'il aurait dû l'être* : si je recommençais mon travail, *écrit à la hâte et sous le coup d'une émotion réelle*, je modifierais la forme sans toucher à la substance qui reste historique.

Il est inutile d'insister davantage et, pour rentrer dans les formes qui conviennent, je vous prie, M. le marquis, d'agréer l'expression de mes sentiments très respectueux — *A. Ledru.*

Ces messieurs du monde ne sauraient s'attarder aux vétilles de la vérité historique ou sociale. M. de Juigné me répondit le 13 août 1911, sans nouvelle dissertation, qu'il maintenait son opinion sur mon livre.

A nous deux maintenant pour plus amples détails.

M. Jacques Le Clerc, marquis de Juigné, époux de Marie-Madeleine Schneider, discutera avec moi la partie historique de mon ouvrage quand il sera *assez documenté*. Il y a tantôt 16 ans qu'il a écrit ces mots, et rien n'est encore venu. Je suis d'ailleurs bien rassuré sur l'issue d'un combat qui, hélas ! est remis aux calendes grecques. Allez donc imposer à des amateurs de joyeusetés mondaines la tâche ardue de compulser des livres et des documents, de les critiquer judicieusement et de mettre leurs déductions par écrit ! Un bavardage en l'air passe encore ! *Verba et voces prætereaque nihil !* Vraiment les bénédictins de Solesmes feront bien de se munir d'autres champions. Ils en trouveront autour d'eux qui ont manipulé quelques livres dans leur existence. Ce serait un grand plaisir pour moi de les rencontrer sur le terrain, les yeux dans les yeux.

Leur avocat, M. de Juigné, qui, j'en suis sûr, n'a pas lu attentivement cent lignes de mon livre ni même de celui de dom Delatte, m'en veut surtout de ce que j'ai parlé, incidemment, du confort des Solesmiens modernes et il m'accuse de les avoir calomniés « *sans apparence courageuse* ». Aurait-il voulu, le brave gentilhomme, que je fasse l'inventaire de leurs garde-robes pour montrer qu'elles ne sont cependant pas à la hauteur de la sienne ?

J'ai dit et je répète, après tous ceux qui ont vu le Solesmes moderne, et sans avoir besoin de consulter le liquidateur Ménage ou le successeur du concierge Crouton, en religion frère Placide, qui sont pour moi des inconnus, que les néo-Solesmiens ont élevé un monastère où à « *l'intérieur règnent une richesse et un confort qu'on ne trouve guère que dans les hôtels de tout premier ordre des stations d'hiver et d'été que fréquente le monde élégant* ». Ces expressions, rapportées dans mon ouvrage, ne sont d'ailleurs pas de moi. Elles appartiennent à un châtelain des environs de Paris, M. Pécoul, de son vivant aussi bon catholique que M. de Juigné, qui me les a confiées dans une de ses lettres. Ce confort, n'en déplaise à M. de Juigné, a certainement alimenté la curiosité railleuse de visiteurs malveillants.

M. de Juigné pourra se débattre, ergoter comme un casuiste retors, il ne fera pas croire aux personnes bien informées dont j'ai eu les confidences, soit verbales, soit écrites, contidences corroborant mon expérience personnelle, que j'ai calomnié des gens, dont, au fond, le genre de vie m'est indifférent. J'ajouterai encore que les moines, voués par état à la mortification, n'auraient pas trouvé dans un presbytère rural un confort équivalent. Quoique beaucoup d'entre eux aient été élevés dans des milieux modestes, comme le magnifique abbé « Olisse-Henri-Joseph Delatte », né à Jeumont (Nord), du charron (1) Charles Delatte et de Philippine Lauthier, tenu sur les fonts par le sabotier Henri Lebeau et l'écolière Céline Besnard, ils n'échangeraient pas leurs bonnes cellules contre les taudis froids et humides dans lesquels vivent trop souvent les humbles curés de campagne qui prêchent à leurs ouailles la soumission aux grands de ce monde.

Ayant fait allusion — mais sans le moindre blâme d'ailleurs — à ses ancêtres qui avaient embrassé le protestantisme, M. de Juigné veut bien me faire souvenir que, plus tard, ils reconnurent leur erreur et revinrent au giron de l'Eglise.

On trouve, en effet, dans les *Registres paroissiaux* de Juigné-sur-Sarthe que, le 22 décembre 1685, « haut et puissant seigneur messire Jacques Le Clerc, chevalier, seigneur de Juigné, et messire Samuel Le Clerc, son fils, chevalier, marquis de Champagne », abjurèrent le protestantisme entre les mains du grand vicaire de l'évêque du Mans.

Sans essayer de sonder le cœur et les reins, il me sera permis de faire acte d'historien et de noter ceci : *La révocation de l'Edit de Nantes* fut signée par Louis XIV le 15 octobre 1685. Or, deux mois plus tard seulement, le seigneur de Juigné et son fils rentraient dans le sein de l'Église catholique. Dans l'occurrence, ils semblent avoir sacrifié leurs convictions religieuses à leurs intérêts matériels.

« On raconte que Louis XIV hésitait à révoquer l'Edit et qu'il ne se jetait pas volontiers dans une entreprise dont il entrevoyait confusément les périls. Mais on lui ôta ses scrupules en lui montrant avec quelle facilité un peu de contrainte

(1) J'ai imprimé par erreur dans mon volume, p. 334, note 2, que le père de dom Delatte était *cordonnier*, ce qui n'est pas un déshonneur. Je suis moi-même fils d'un *bourrelier* et petit-fils de paysans de la banlieue du Mans.

déterminerait les protestants à se convertir. Ces grands seigneurs qui revenaient si vite à la religion du roi, ces villes qui, à la seule vue des dragons, se précipitaient dans les églises, lui firent croire que l'affaire irait toute seule, qu'un culte qu'on abandonnait si vite ne méritait pas les égards qu'on avait pour lui et qu'enfin ces foules indifférentes n'attendaient qu'une manifestation de l'autorité royale pour faire ce qu'elle voudrait (1). »

« *Les grands seigneurs*, rapporte Guizot (2), *succombaient les uns après les autres ;* accoutumés à jouir des faveurs royales, en y attachant un prix excessif, vivant à la cour près de Paris, fort épargnés dans la persécution, *ils renoncèrent sans grand effort à une foi qui leur fermait désormais la porte de toutes les charges et de tous les honneurs.* Les gentilshommes de province (pas tous) étaient plus résolus ; beaucoup réalisèrent ce qu'ils purent de leur fortune et passèrent à l'étranger, bravant tous les périls jusqu'à celui des galères en cas d'arrestation. »

Rien qu'en Prusse, la révocation de l'Edit de Nantes jeta dans ce pays plus de 20 000 protestants français. Ils s'y multiplièrent rapidement et firent profiter leur nouvelle patrie des ressources de leur intelligence pratique. En 1870, la Prusse abritait 600.000 descendants d'émigrés. Ils se battirent alors, comme leurs enfants se battirent durant la Grande Guerre, contre leur pays d'origine, par suite de la politique du roi Soleil.

La révocation de l'Edit de Nantes a causé à la France des maux incalculables. Vauban a dit qu'elle avait, dès les premières années, amené la désertion de « 100.000 français, la sortie de 60 millions, la ruine du commerce, les flottes ennemies grossies de 9.000 matelots, les meilleurs du royaume, leur armée de 600 officiers et 12.000 soldats plus aguerris que les leurs ». La France perdit par cette funeste émigration, qui se continua jusqu'au milieu du XVIIIe siècle, plus de 400 000

(1) Gaston Boissier. *Etudes d'histoire religieuse* dans la *Revue des Deux-Mondes*, 1er août 1887, p. 545.

(2) *Histoire de France*, Paris-Hachette, 1875, t. IV, p. 403.

habitants et des meilleurs. Ils laissèrent dans leur patrie un vide que rien ne put combler (1).

« La France — écrit Mgr Baudrillart, de l'Académie française — était la plus grande puissance de l'Europe, il eut fallu agir avec prudence. Au contraire, Louis XIV refusa d'écouter les conseils de la modération. Imitant les princes protestants qui persécutaient les catholiques, *il traita les réformés français avec injustice et violence*, puis révoqua l'Edit de Nantes. Nombre d'entre eux s'exilèrent (2). »

Tout le monde n'est pas à la hauteur du martyre. Les Le Clerc du XVIIe siècle en sont un exemple. Ils ne voulurent pas courir le risque de la défaveur royale, de l'arrestation ou des galères. La grâce opéra de la même façon chez Gédéon Lenfant, écuyer, seigneur de Bazouges, chez différentes personnes à Ardenay, Bonnétable, Fresnay, Mamers, Roullée, Saint-Georges-le-Gaultier, Saint-Rigomer-des-Bois, Torcé et dans cent autres endroits. Des enfants de 12 ans et même de 10, comprenant cette vérité, « *errare humanum est, perseverare diabolicum* », rappelé avec tant d'opportunité par le marquis de Juigné, abandonnèrent les sentiers de l'erreur (3). N'est-ce pas le cas de dire « *Spiritus ubi vult spirat* ». Le *Spiritus* de l'époque se nommait Louis XIV et ledit Esprit n'était pas tendre pour ceux qui s'opposaient à sa volonté. Je suis persuadé que les convictions du défenseur de dom Delatte tiendraient mieux le cas échéant.

M. de Juigné, qui a de la *considération pour mon caractère sacerdotal*, tout député qu'il est, ne brille ni par la perspicacité, ni par la précision des termes. Ne m'a-t-il pas reproché d'avoir attaqué les Bénédictins par une calomnie « *qui n'a pas même le mérite d'avoir l'apparence courageuse* ». Mes lecteurs savent à quoi s'en tenir sur cet article. Ce qu'on me reproche à l'ordinaire, c'est ma témérité, ma facilité d'exprimer tout haut ce que beaucoup d'autres pensent tout bas ! Comme

(1) Desdevises du Désert. *L'Eglise et l'Etat en France*. Paris, 1907, t. I, pp. 157-160.

(2) *Histoire de France. Cours élémentaire*. Paris, 1919, p. 87.

(3) Voir *Registres paroissiaux de Bonnétable*.

Rostopchine, je puis dire : « *N'ayant jamais pu me rendre maître de ma physionomie, je lâchai la bride à ma langue et je contractai l'habitude de penser tout haut, cela me procura quelques jouissances et beaucoup d'ennemis* (1) ». D'ailleurs mon livre contre dom Delatte n'est-il pas une preuve de mon défaut ? Que le noble voisin de Solesmes se renseigne auprès de ceux qui me connaissent et il gardera — qu'on me passe le mot — ses âneries pour lui et ses amis.

Pour appuyer vos dires, me dit-il encore dans sa lettre du 10 août 1911, « vous invoquez des déclarations de bénédictins » qui ont quitté leur ordre, ce qui les rend suspects.

Si le noble individu avait lu mon livre avec un tant soit peu d'attention, il aurait constaté que « pour appuyer mes dires » je me suis servi, à peu près exclusivement, de documents authentiques et officiels conservés à l'évêché du Mans et de plusieurs autres renseignements venus des quatre points de l'horizon, d'amis et d'ennemis de Solesmes

J'ai dit amis et *ennemis*. Il y a des ennemis qu'il faut entendre, surtout quand ils sont devenus tels à la suite de persécutions imméritées. Mais, pour certaines personnes frivoles, ceux qui sont frappés par des supérieurs ont toujours tort. Les grands possèdent tous les droits ; les petits n'ont qu'à tendre le dos sans récriminer. Cette conception surannée tend à disparaître. J'aurai peut-être plus tard l'occasion de parler de certains ennemis de Solesmes et de justifier leur conduite

En attendant, je tiens à faire savoir à M. de Juigné, qui l'ignore peut-être, que mon livre, si *terriblement documenté* au rapport de la *Revue bénédictine de Maredsous*, a conduit dom Delatte à modifier certaines passages de son ouvrage dans les nouveaux tirages.

Pour compléter l'éducation historique de mon contradicteur, je lui livre l'extrait suivant d'une lettre que j'ai reçue le 16 février 1926 d'un ecclésiastique studieux (2) qui prépare

(1) *Mémoires de Rostopchine*, cités par le marquis de Ségur dans *Vieux dossiers, Vieux papiers*.

(2) L'abbé Ernest Sevrin, alors curé de Vert-en-Drouais (Eure-et-Loir).

une vie de Mgr Clausel de Montals, évêque de Chartres du temps de Mgr Bouvier :

— J'ai lu avec *un intérêt extrême* et aussi, je dois le dire, avec *un profond étonnement, le livre si franc et si documenté* (mon dom Guéranger) que vous avez eu la bonté de m'envoyer. Mon étonnement de tout ce que j'ai appris dans votre livre eût été encore plus profond il y a quelques semaines avant qu'un bénédictin m'eût affirmé si carrément l'identité absolue entre les deux éditions des *Institutions liturgiques* (1). Mais *j'étais loin de m'attendre à un dom Guéranger si différent de celui de dom Delatte* (2).

Maintenant, comment se fait-il que, depuis 15 ans, je n'aie vu nulle part dans les journaux et les revues, peu nombreux il est vrai que je lis, aucune mention de votre ouvrage ? On a dû faire le silence autour de lui. J'avais ouï parler très vaguement d'un chanoine qui avait publié certains dossiers, je n'en savais pas plus.

Je ne vois pas d'*Imprimatur* ni de *Nihil obstat*. Et je m'étonne bien fort que *vous avez osé*, en plein pontificat de Pie X, en pleine crise de modernisme, ou si peu après, *écrire et juger si hardiment* et surtout que vous avez pu le faire impunément. Peut-être a-t-on jugé, dans les milieux favorables à Solesmes, que le silence valait mieux qu'un coup d'autorité !

Un de mes amis n'a pas eu votre audace Il avait songé, vers 1910, à écrire la vie d'un de ces vieux gallicans qui ornent, comme des vaincus, le piédestal de dom Guéranger. Il n'a pas osé, peut-être a-t-il bien fait, à une époque où l'on étouffait votre livre et où l'on portait aux nues celui de dom Delatte.

J'admire comme *vous débrouillez et simplifiez* ce que dom Delatte s'est appliqué à obscurcir et à présenter sous un faux jour.

J'ai lu votre livre d'un trait ; je ne pouvais faire autrement ! Mais j'y reviendrai...

(1) On a retranché en particulier dans la deuxième édition de ces *Institutions*, des affirmations malveillantes et fausses à l'égard du chapitre de Chartres.

(2) M. Clerval, mon ancien maître (m'écrivait M. l'abbé Sevrin, le 5 février 1926) m'avait bien mis en garde, quand j'avais 20 ans, contre dom Guéranger, mais j'étais bien éloigné de le croire ». — M. l'abbé Clerval, de Chartres, fut professeur d'histoire à l'Institut catholique de Paris.

Que ceux qui m'ont combattu ou qui me combattent fassent comme ceux qui m'ont félicité : qu'ils lisent et qu'ils comprennent

Le littérateur et polémiste suisse Rodolphe Tœpffer, mort en 1846, écrivait un jour : « Je suis fait pour le pamphlet : des sarcasmes, des moqueries, des injures, des farces, des invectives ruisselantes d'amertume, de chagrin, de haine ou de verve, tant qu'on veut, *mais des articles gênés, parlementaires, un style sagement conventionnel, des prudences adroites ou des imprudences calculées, je n'en veux pas* .»

Tœpffer était une âme tendre, rêveuse, avec une teinte prononcée d'*humour*, d'honnêteté, de fantaisie, de douce gaîté, de pitié et de sentiments, sans autre haine que celle qu'il professait pour les idées qu'il considérait comme mauvaises. De sa boutade précédente, — car c'est une boutade de quelqu'un qui fait les gros yeux, — je retiens pour moi la dernière partie, en déclarant que, comme lui, je n'ai aucun goût pour les *articles gênés, parlementaires, pour les prudences adroites, ou les imprudences calculées*. Je laisse aussi à d'autres le souci d'amortir, par le susurrement de phrases à facettes chatoyantes, les critiques qu'ils laissent parfois tomber de leur bouche ou de leur plume. Je n'attache d'importance qu'à la *vérité*. C'est le dernier mot de cet écrit.

TABLE DES MATIÈRES

Imp. E. BENDERITTER, 11-13-15, rue Saint-Jacques, Le Mans. — 26816

DÉSACIDIFIÉ A SABLÉ
EN : DEC. 1991

CORRECTIONS

Page 30, ligne 23, au lieu de *Méry del Val*, lire *Merry del Val*.

Page 48, ligne 20, au lieu de *ennuyait*, lire *ennuyaient*.

Page 62, ligne 3, au lieu de *Baudrillard*, lire *Baudrillart*.

D'après une note de M. Houtin, le cardinal Pitra aurait lu la Vie de dom Guéranger par l'abbesse, à Marseille, en 1886, et non comme le dit Mgr Duchesne (p. 7) en 1875. — Peut-être eût-il le manuscrit en 1875 et 1886.

Imprimé en France
FROC021646060720
24425FR00007B/286

9 782329 424002